MAJA LUNDE
SNØSØSTEREN

En julefortelling

Illustrert av LISA AISATO

KAGGE
FORLAG

© 2018 Kagge Forlag AS
10. opplag

BOKDESIGN: Terese Moe Leiner
ILLUSTRASJONER: Lisa Aisato
PAPIR: Arctic Volume White 150 g.
BOKA ER SATT MED Indigo Antiqua Pro 12,5/19 pt.
TRYKK OG INNBINDING: Livonia Print, Latvia

ISBN: 978-82-489-2205-6

Kagge Forlag AS
Tordenskiolds gate 2
0160 Oslo

www.kagge.no

Nå skal jeg fortelle deg om Hedvig. Om hvordan hun ble min beste venn, og hvordan jeg mistet henne. Og om søsteren min Juni, som allerede var borte, men likevel er hos meg ennå.

Første gang jeg så Hedvig, stod hun med nesa klemt mot vinduet i svømmehallen. Nesa var altså det første jeg så. Og veldig mange fregner, for dem var nesa full av. Hun stod på utsiden, alene, og kikket inn. Det snødde ned på henne, snøen

la seg på lua og på det røde håret som stakk ut under den, og på den tjukke ullkåpa hun hadde på seg, som forresten også var rød, like knall som en nissedrakt.

Jeg hadde svømt en god stund. Jeg svømte ofte på den tiden, nesten hver eneste dag. Frem og tilbake i bassenget. Mer under enn over vann, bare opp med hodet for annethvert tak for å puste inn, og så ut under vann. Det var en fin rytme i det, syntes jeg. Opp, puste inn, nytt tak, under, puste ut, nytt tak. Mens jeg svømte, trengte jeg ikke å tenke på noe annet, bare på pustingen og svømmetakene og vannet. Dessuten var jeg blitt ganske flink etter hvert. For når du svømmer hver eneste dag, er det ikke til å komme bort fra at du klarer å svømme fortere og fortere etter som tiden går. Noen få tiendedeler raskere hver gang jeg prøvde.

Egentlig hadde jeg bare begynt på svømming fordi John gjorde det. Han var min beste kamerat, og ingen av oss likte fotball, så da ble det svømming. Han var der den ettermiddagen da Hedvig dukket opp, forresten.

Han hadde kommet en stund etter meg. Jeg husker at han stod på kanten av bassenget og hutret. Han så på vannet, som om han grudde seg til å hoppe uti. Jeg svømte bort til ham, heiste meg opp og ble stående ved siden av ham.

«Hei», sa John.

«Hei», sa jeg.

«Er det kaldt?» sa John.

«Litt», sa jeg. «Omtrent som det pleier.»

«Ok», sa John.

«Det er kaldere ute», sa jeg.

«Ja», sa John. «Det snør.»

«Ja», sa jeg.

«Men det snødde mer i går», sa John.

«Ja», sa jeg. «Det gjorde kanskje det.»

«Ja», sa John.

«Ja», sa jeg.

Og så sa vi ikke mer. Jeg så hvordan vannet dryppet av meg og ned på de blå gulvflisene. *Drypp, drypp, drypp.* Jeg måtte si noe, tenkte jeg. John frøs nok skikkelig, for nå la han armene rundt seg selv, nesten som om han ga seg selv en klem. Han ble så fort kald, og det var ikke rart, for han var bare en tynn, liten pinne. Den laveste i klassen, sammen med meg. Det var også noe vi hadde felles.

Nå tror du kanskje at John og jeg bare var venner fordi vi var lave og dårlige i fotball, og at vi ikke hadde noe å snakke om. Men vi pleide å ha veldig mye å snakke om. Før. Vi pleide faktisk å prate fra det øyeblikket vi traff hverandre på vei til skolen om morgenen, til vi måtte gå hver til vårt når det var leggetid. Jeg trengte aldri å tenke på hva jeg skulle si, når jeg var sammen med John. Det var akkurat som om han var en knapp som fikk ordene til å strømme ut av meg. Lange setninger, som ikke stoppet, annet enn for at han skulle få tid til å la det strømme ut minst like mange ord tilbake. Og latter. For John og jeg pleide å le utrolig mye. Sånn hikstelatter som fikk oss til å rulle rundt på gulvet og riste. Trillelatter, pleide mamma å kalle det. Hun sa at det var den fineste lyden som fantes, at det hørtes ut som om det trillet runde, hvite perler ut av oss.

Men det var altså før. Etter i sommer lo vi ikke sammen lenger. Og hver gang jeg traff John, måtte jeg lete i hodet for å finne på noe å si. Det var stort sett bare korte setninger som kom. De handlet ofte om været. Jeg hadde aldri snakket så mye om været som det siste halve året. Og jeg som trodde været bare var noe de voksne pratet om.

John syntes visst ikke han kunne stå der lenger og fryse. Jeg kunne vel heller ikke stå der lenger og dryppe, så vi hoppet uti begge to.

Jeg fortsatte å kråle frem og tilbake, frem og tilbake. Ved siden av meg så jeg John svømme, men han holdt ikke følge med meg. Jeg var blitt raskere enn ham disse siste månedene, for jeg svømte mye oftere enn ham.

Opp, puste inn, nytt tak, under, puste ut, nytt tak.

Men plutselig ble det umulig å konsentrere seg. Jeg oppdaget nemlig at bade-vaktene hadde pyntet til jul i bua si. De hadde hengt fargede lys rundt hele vinduet mot bassenget.

Jul, ja. Det var snart julaften. Den beste dagen i året …

Det er jo ganske vanlig å synes at julaften er den beste dagen i året, men jeg har ekstra gode grunner til det. Jeg har nemlig bursdag på julaften. Det er derfor jeg heter Julian. Og i år ble jeg elleve. Det var egentlig en veldig god grunn til å glede seg. Men jeg gledet meg ikke i det hele tatt. Jeg var rett og slett ganske bekymret for hvordan julen kom til å bli.

Jeg er sikker på at du har bestemte meninger om hvordan julen skal være. Om *hvor* du skal være, og *hva* som skal henge på juletreet, og *hvordan* det skal lukte, og *hvem* du skal være sammen med. Og så vil du sikkert gjerne at det skal være nokså likt hvert eneste år. Sånn hadde jeg det også. Og sånn som dette pleide julen å være hjemme hos oss:

Mamma og pappa pleide å pynte treet på lille julaften etter at jeg og søstrene mine hadde lagt oss. Og når jeg våknet julaften morgen, var jeg alltid litt redd for at de ikke skulle ha rukket å bli ferdige. Jeg pleide å åpne døren til rommet mitt så stille jeg kunne, og liste meg over gulvplankene i gangen oppe, bort til trappen som går ned til første etasje. Der pleide jeg å stanse for å sjekke om jeg kunne høre noe. Det var julelyder jeg lyttet etter: englespillet som plingplonget på peishylla, knitringen fra veden som brant i peisen, og musikken som mamma alltid pleide å spille, et guttekor som sang *Glade jul* eller *Deilig er jorden*. De guttene sang så fint at jeg alltid begynte å skjelve litt, der jeg stod og lyttet.

Når jeg var sikker på at julelydene var på plass, listet jeg meg videre ned trap-pen. Så gikk jeg bort til døren inn til stua, og der måtte jeg stanse igjen. Denne gangen var det for å snuse. Det skulle nemlig lukte jul også. Jul, hjemme hos oss, lukter en blanding av granbar fra juletreet, og kongerøkelse fra røkelsesstativet, og pepperkaker og klementiner og kanel og kakao, som forresten er det aller beste jeg vet. Når jeg hadde sjekket at det luktet ordentlig jul, tok jeg endelig sjansen på å åpne døren til stua.

Først måtte jeg bare stå helt stille og blunke litt, for man kunne nesten ikke se stua for bare pynt, og alt var så fint og varmt og vakkert og gyllent at jeg nesten ikke fikk puste. Men så var mamma og pappa der, og begge klemte meg og sa *gratulerer med dagen og god jul, kjære julegutten vår*, og *kom, så skal du få kakao og frokost her sammen med oss*. Og ved det dekkede frokostbordet, som var helt overfylt av mat, satt søstrene mine og smilte. Vi sa god jul til hverandre alle tre: lille Augusta, som er født i august, jeg, Julian, den midterste av oss, som er født på julaften, og Juni, den eldste, som du kan gjette når er født.

… Juni, søsteren min. Hver eneste jul hadde hun vært der på julaften. Men i år ble plassen hennes ved bordet tom. Juni var nemlig død. Død og begravet på kirkegården. Og derfor var det kanskje ikke så rart at jeg lurte på hvordan julen skulle bli, den ettermiddagen da jeg svømte frem og tilbake i svømmehallen.

Jeg prøvde å tenke på svømmingen igjen. Opp, puste inn, nytt tak, under, puste ut, nytt tak. Men så pustet jeg plutselig feil, fikk vann i vrangen. Det stakk både i nesa og halsen. Jeg svømte inn på grunna, reiste meg og hostet. Og det var mens jeg stod der i vannet og hostet, at jeg oppdaget Hedvig. Hun stod ute i snøen og kikket inn. Hun presset den fregnete nesa mot vinduet så den ble helt hvit. Plutselig la hun merke til at jeg stirret på henne, for hun skvatt litt vekk fra vinduet og så forbauset på meg. Jeg kikket meg rundt, ingen andre hadde visst sett henne. John svømte frem og tilbake uten å se på annet enn vannet. Men jeg så jenta, og hun så meg. Og nå løftet hun hånden og vinket.

Jeg løftet min egen hånd og vinket tilbake. Og da smilte hun det bredeste smilet jeg hadde sett på veldig, veldig lenge.

KAPITTEL 2

Da jeg kom ut av svømmehallen, stod jenta fremdeles i snøen. Ikke ved vinduet, men foran inngangen. Den røde kåpa lyste opp under gatelykten, og snøen glitret på lua hennes. Hun småhoppet litt fra side til side, sikkert for å holde varmen. Så oppdaget hun meg, og da smilte hun det store smilet sitt igjen, tok løpefart og skrenset opp foran meg i snøen.

«Der er du, endelig!» sa hun.

«Ja?», sa jeg.

Hun ble stående og bare se på meg. Jeg visste ikke hva jeg skulle si. Hun hadde tydeligvis ventet på meg. Men hvorfor? Hadde jeg truffet henne før? Burde jeg kjent henne igjen? Kunne hun være en som hadde gått på skolen? Eller en slags kusine eller tremenning jeg hadde truffet i et familieselskap? Jeg rotet rundt i hodet, men klarte ikke å huske at jeg hadde sett henne før. Og jeg tror virkelig jeg ville husket det fjeset. Fregnete og lite, med grønne øyne som liksom sprutet lys ut i vintermørket, en stor, smilende munn og fortenner med et digert mellomrom imellom.

«Mitt navn er Hedvig», sa jenta. «Nei, vent, jeg må jo presentere meg

ordentlig, med mitt hele og fulle navn. Det er Hedvig … og nå skulle jeg ønske at jeg kunne si Hedvig Victoria Johanna Rosendal Ekelund eller noe slikt … men det ville være å lyve. Og lyve, det skal man som kjent ikke, og særlig ikke når man treffer noen for første gang.»

Hun tok en pause for å puste, og det var nok lurt, ordene fosset ut av henne i en kjempefart, og hadde hun ikke pustet nå, ville hun antagelig besvimt. Så rakte hun frem hånden og sa:

«Mitt navn er Hedvig Hansen, dessverre. Hedvig Hansen. Du tenker kanskje at det er enkelt og greit. Noen sier det, så praktisk å hete Hansen, sier de. Men det er bare fordi de antagelig har et langt mer spennende navn selv, og ikke egentlig har tenkt over hvor kjedelig og grått det er å bare hete Hansen. Ikke engang et mellomnavn har jeg fått, ikke et puslete lite Anna eller Eng, eller engang noe så kjedelig som Gerd klarte de å putte inn mellom Hedvig og Hansen. Jeg vil for alltid bære nag til mine foreldre, vet du, for at de ikke klarte å være ørlite grann mer fantasifulle da de ga meg navn.»

«Å», sa jeg. «Ja … vel.»

Mer klarte jeg ikke å si. Jeg hadde aldri truffet noen som pratet så mye og så fort før, og det var sannelig ikke godt å vite hva man skulle svare på alt sammen. Men nå så jeg plutselig hånden hennes, som fremdeles var strukket frem mot meg, og jeg skyndte meg å ta den.

«Julian, heter jeg», sa jeg. «Julian Wilhelmsen.»

«God dag, Julian», sa Hedvig. «Du aner virkelig ikke hvor ualminnelig, hjerteskjærende glad jeg er for å møte deg.»

«Eh, nei», sa jeg.

«Skal vi gå?» sa Hedvig.

«Ja», sa jeg.

For jeg skulle hjemover, og hvis Hedvig hadde lyst til å ta følge, kunne jeg jo ikke akkurat si nei. Hun småhoppet av gårde ved siden av meg, hun så virkelig 'ualminnelig, hjerteskjærende' glad ut. Jeg kunne nesten ikke huske å ha sett noen se så glad ut før.

«Du svømte bra», sa hun og smilte. «Frem og tilbake, frem og tilbake. Og dessuten enormt fort. Hvordan har du lært det? Hvor lenge har du kunnet det? Øver du ofte?»

«Ja», sa jeg.

«Det kan jeg tenke meg. Det ser vidunderlig ut, å svømme sånn, liksom suse gjennom vannet som en fisk, eller en hai, tenker du ofte på det, at det er som om du er en hai, i rasende fart, i jakt på et bytte, en stor, farlig hai, eller kanskje en hoppende glad delfin, jeg elsker delfiner, gjør ikke du, det er som om de smiler hele tiden, har du lagt merke til det, at delfiner smiler, jeg tror det må være fordi de er så uendelig glade for å kunne svømme, tror ikke du, at de bare må smile hele tiden fordi de er så lykkelige over å kunne bevege seg så raskt gjennom vannet.»

«. . . Ja», sa jeg.

«Du sier ikke så mye, du», sa Hedvig. «Men jeg liker deg virkelig veldig godt likevel, og så er du så god til å svømme, er du klar over hvor heldig du er som kan svømme så fantastisk bra?»

«Jeg har ikke egentlig tenkt på akkurat det før», sa jeg.

«Det burde du tenke virkelig nøye og ettertrykkelig ordentlig på», sa Hedvig.

For første gang ble hun stille en liten stund. Jeg kikket bort på henne. Nå smilte hun ikke, men så nesten strengt på meg, for at jeg liksom ordentlig skulle skjønne hvor heldig jeg var som kunne svømme. Og plutselig forstod jeg.

«Og du … Du kan ikke svømme?» spurte jeg.

Hedvig svarte ikke, men ble brått blank i øynene.

«Nei.»

Hun trakk pusten, og svelget.

«Det er mitt aller, aller største ønske i hele universet», sa hun lavt. «Jeg tror jeg ville vært et mer helt menneske hvis jeg kunne svømme.»

«Jeg syns du ser ganske hel ut», sa jeg. «Hvis det er noen trøst, mener jeg.»

Men det svarte ikke Hedvig på.

Vi gikk gjennom snøen en stund og kom frem til Storgata. Den var pyntet akkurat slik den pleide å være til jul, hvert eneste år. Med granbar som hang mellom husene, skinnende snøkrystaller og røde sløyfer. Hedvig snudde hodet og kikket opp på lysene som skinte over oss.

«Heldigvis er det mye annet godt å glede seg over her i verden», sa hun.

«Det er kanskje det», sa jeg.

«Ikke minst julen», sa Hedvig. «Er ikke julen så skjønn at det kjennes som om hjertet skal briste og hjernen eksplodere?»

«Jo, den er ganske fin», sa jeg.

Vanligvis elsket jeg at de endelig hengte opp julepynten i Storgata, men i år kunne jeg ikke huske å ha lagt merke til at den var kommet, engang. Selv om det bare var en uke til jul. Ikke før nå.

«Ganske fin?!» sa Hedvig. «Er det alt du har å si om selve julen, den skjønneste, nydeligste, varmeste og vakreste tiden av alle?»

Og plutselig så hun nesten sint på meg.

«Vet du hva jeg tror?»

«Nei?»

«Jeg tror faktisk at du svømmer for mye.»

Jeg sa ingenting og plutselig kjente jeg at jeg ble irritert. Hvem var den her jenta, egentlig? Som bare plutselig stod der, og skulle ta følge med meg, og skravle hull i hodet på meg? Og attpåtil lot som om hun kjente meg kjempegodt?!

«Jeg svømmer så mye som jeg vil svømme», sa jeg.

«Du gjør vel det», sa Hedvig.

«Og hvorfor lærer ikke du å svømme, forresten, hvis du har så innmari lyst til det?» sa jeg.

«Det har faktisk ikke du noe med!» sa Hedvig.

Hun stirret på meg. Og igjen sprutet det lys ut av øynene hennes, men nå var det mer som sinte lyn.

«Takk for nå, og god middag», sa jeg.

«I like måte, og god kvelds», sa Hedvig.

«Jeg spiser faktisk middag før jeg spiser kvelds», sa jeg.

«Som om jeg overhodet bryr meg», sa Hedvig.

«Dessuten syns jeg du prater altfor mye», sa jeg.

«Og du er stum som en sur skilpadde», sa Hedvig.

«Ha det», sa jeg.

«Adjø og farvel», sa Hedvig.

«Nå går jeg», sa jeg.

«Fint», sa Hedvig.

«Ja. Kjempefint!» sa jeg.

Og så gikk jeg det forteste jeg kunne gjennom snøen. For en dum jente, tenkte

jeg. Dum og helt utrolig pratesyk. Og så mange underlige ord hun brukte! Henne skulle jeg i hvert fall aldri se igjen. Aldri mer, ikke et eneste lite sekund.

Men så hørte jeg stemmen hennes bak meg enda en gang.

«Julian?»

Jeg fortsatte å gå. Ikke snakk om at jeg skulle snu meg.

«Vent!» ropte hun. «Julian, vent. Unnskyld!»

KAPITTEL 3

Jeg gikk noen meter til, men Hedvig ropte enda en gang. «Jeg mente det ikke!»

Og så hørte jeg løpende skritt bak meg. Da snudde jeg meg. Hun løp så fort at hun nesten fløy, og var andpusten da hun nådde frem til meg.

«Unnskyld, unnskyld, unnskyld», sa hun.

Jeg visste ikke hva jeg skulle svare. Kanskje burde jeg si unnskyld, jeg også. Men jeg forstod ikke vitsen, for jeg hadde jo uansett ikke tenkt å ha noe mer med henne å gjøre.

«Jeg må hjem», sa jeg.

«Må du virkelig det?» sa Hedvig.

«Jeg har lekser», sa jeg.

«Det er jo fredag», sa Hedvig.

«Ekstralekser», sa jeg. «Masse … eh … helgelekser. Det er noe nytt læreren har begynt med.»

«Men jeg tenkte kanskje at vi kunne bli venner», sa Hedvig.

«Venner?»

«Det høres antagelig veldig underlig ut», sa Hedvig. «Men jeg tror vi kommer til å angre forferdelig voldsomt begge to hvis vi ikke blir venner. Vi kommer til å ønske det ugjort resten av vår levetid hvis vi forlater hverandre her nå.»

«Å?» sa jeg. «Ugjort resten av vår levetid?»

Denne jenta var helt klart det merkeligste mennesket jeg hadde truffet noen gang.

«Så derfor syns jeg at i stedet for at vi forlater hverandre, kan du bli med meg hjem», sa hun.

«Ja vel», sa jeg.

Plutselig smilte Hedvig igjen. Det var virkelig et enormt smil og umulig å ikke smile tilbake.

«Vi kan lage kakao», sa Hedvig.

«Kakao», sa jeg.

Det var nesten litt skummelt at hun foreslo kakao, for det er jo faktisk, som du kanskje husker, det aller beste jeg vet.

«Og jeg har pepperkaker», sa Hedvig.

«Pepperkaker», sa jeg og kjente hvordan det rumlet i magen.

Pepperkaker er forresten også noe av det beste jeg vet. Særlig sammen med kakao.

«Det er ikke langt», sa Hedvig. «Jeg bor rett rundt hjørnet, i Fjordveien 2.»

«Ok, da», sa jeg. «Jeg kan vel kanskje vente litt med leksene. Siden du har kakao.»

Og sånn gikk det til at jeg ble med Hedvig Hansen hjem.

Huset var gammelt og hvitmalt. Det lå for seg selv i en stor hage, hvor trær og busker var dekket av snø. Fra alle vinduene lyste det varmt, og på inngangsdøren hang en diger krans av granbar, pyntet med et mørkerødt silkebånd.

Hedvig åpnet døren og gikk inn.

«Hallo?»

Ingen svarte.

«De er bare ute en tur», sa hun.

Jeg satte skoene mine på gulvet. Det stod mange andre sko der fra før. Brune mannesko, svarte dame-støvletter og noen guttesko i om-trent samme størrelse som mine.

«Har du en bror?» spurte jeg.

«Ja», sa Hedvig. «En store-bror. Jeg gleder meg til du får truf-fet ham. Han er så flink til å tegne. Noen ganger forsøker jeg også, og jeg vet akkurat hvordan jeg vil at det skal se ut. Jeg har de

vidunderligste bilder i hodet, men så klarer jeg bare ikke å få dem ut, forstår du hva jeg mener? De blir bare til harde, stygge blyantstreker og ligner ikke på noe som helst virkelig. Mens tegningene til broren min ... det er som om figurene vil hoppe opp fra papiret og bli levende. Jeg håper virkelig du møter ham en dag, så får du se.»

Hun tok jakken min og hengte den på en knagg ved siden av sin egen kåpe. Det var så vidt vi fikk plass, for overalt i gangen var det vinterklær, tjukke jakker, skjerf og luer.

«Velkommen til Villa Kvisten», sa Hedvig. «Det aller beste stedet jeg vet om i hele vide verden.»

«Har huset et navn?» spurte jeg.

«Alle hus med respekt for seg selv bør ha et navn», sa Hedvig. «Har ikke ditt et navn? Da må du si til foreldrene dine at dere må legge hodene i bløt og snarest finne på noe ordentlig morsomt. Villa Kvisten er så fint, syns jeg. Det er *i* både i *Villa* og *Kvisten*, så det er nesten så det rimer. Da vi flyttet hit, visste jeg straks og med en gang at jeg kom til å trives, for et hus med et så koselig navn må jo bare være et godt sted å bo.»

«Ja», sa jeg. «Det må kanskje det. Når flyttet du hit, forresten?»

«Å, da jeg var liten. Kom», sa Hedvig. «Kjøkkenet er denne veien.»

Hun tok meg med inn i en lang gang med mange dører, noen stod på gløtt, men jeg kunne ikke se rommene innenfor. Hedvig gikk fort frem til den tredje til venstre og åpnet den.

Kjøkkenet var stort og blåmalt og luktet så godt av mat og pepperkaker at jeg ble enda sultnere. På veggene hang panner og gryter, og ved komfyren stod en diger blomstrete krukke full av øser og visper. Hedvig var tydeligvis vant til å ordne opp her inne, for nå vippet hun løs en kjele fra en av krokene på veggen, tok en snurr mot komfyren, satte den på en av platene, fant frem melk fra et digert kjøleskap, kokesjokolade fra en skuff, helte litt melk i kjelen, slengte oppi noen biter sjokolade og startet å røre med en visp fra den blomstrete krukka.

«Pleier du ofte å lage mat?» spurte jeg.

«Absolutt», sa Hedvig, «særlig kakao.»

Hun vispet i kjelen uten å søle en eneste dråpe, og så kom hun plutselig på noe.

«Vi må jo ha krem!»

Hun gikk til kjøleskapet og hentet en bolle, og i den var det allerede ferdig pisket krem.

«Den er fra frokosten», sa Hedvig.

«Har dere kakao til frokost på hverdager?»

«Nesten hver eneste morgen. I hvert fall hvis jeg kan bestemme.»

«Kan du det, da?»

«Hva tror du?»

Hun lo, og jeg kunne se hele det store mellomrommet mellom tennene hennes.

Så helte hun kakaoen over i blå krus og hadde en diger skje med krem i hver av dem. Hun satte et fat med pepperkaker på bordet og slo ut med armene.

«Vær så vennlig og sett deg, min gode gjest. Du aner ikke hvor glad jeg er for å ha møtt deg.»

Og mens vi satt der på kjøkkenet og drakk kakao med krem og fikk barter store og hvite som på gamle gubber, tenkte jeg at hun ikke var den eneste som var glad for at vi hadde møttes. Og ikke bare var jeg glad, men jeg hadde på en måte en følelse av at møtet vårt var viktig …

Men at Hedvig faktisk skulle endre livet mitt, *det* ante jeg ingenting om.

KAPITTEL 4

Da vi hadde drukket opp kakaoen, tenkte jeg at det var på tide at jeg kom meg hjem, selv om jeg egentlig hadde lyst til å bli lenger. Men det var liksom grenser for hvor lenge man kunne være hos en jente man egentlig ikke kjente i det hele tatt.

«Jeg må vel nesten gå», sa jeg.

«Må du nesten det?» sa Hedvig.

«Ja, jeg må vel nesten det?» sa jeg og hørte at det ble et spørsmål.

«Nesten river ingen mann av hesten», sa Hedvig og lo.

«Hæ?» sa jeg.

«Det pleier broren min alltid å si. Og han har helt rett. At du bare *nesten* må gå, betyr at du kan vente litt til, spør du meg. Og det ville sikkert han sagt også.»

«Å ja», sa jeg. Og kjente at jeg likte denne broren hennes.

«Er du glad i gjemsel? Det håper jeg da. Alle med vettet i behold liker gjemsel. Og når du tilfeldigvis befinner deg i det som må være det aller beste gjemselhuset i hele byen, da kan du vel ikke si nei takk til en bitte liten runde?»

«Jeg kan vel nesten ikke det.»

«Nesten. Der sa du nesten igjen. Nei, du kan *absolutt* ikke det.»

«Ok», sa jeg.

Jeg kjente at det kriblet i beina, jeg gledet meg allerede.

«Jeg står. Du kan gjemme deg», sa Hedvig. «Det er nemlig urettferdig om jeg gjemmer meg først, for jeg kjenner hver eneste krok og krik av dette huset, og du kommer sikkert ikke til å klare å finne meg igjen noen gang. Og er det noe jeg ikke vil, så er det å bli borte for deg.»

Hun stilte seg ved døren. «Jeg teller til tjue.»

Så knep hun øynene igjen.

«En … to … tre …»

Jeg skyndte meg ut i gangen, lukket døren til kjøkkenet stille bak meg og så meg rundt. Det var tre dører på den ene siden, tre på den andre, og i enden gikk det en trapp opp til andre etasje. Jeg skyndte meg bort til den nærmeste døren og åpnet den. Der lå det en stue, og jeg listet meg forsiktig inn. Veggene hadde grønt tapet, og det varmet fra en svart jernovn i det ene hjørnet. Det var julepyntet her inne også: Papirnisser var hengt opp i vinduene, sammen med lysende julestjerner. Ved den ene veggen stod en diger fløyelssofa med myke puter i. Den minnet meg om en koselig gammel dame. Jeg fikk lyst til å krype opp i den og begrave meg i alle putene.

Men det var jo gjemme meg jeg skulle nå, og her var det ingen gode steder for akkurat det.

Jeg skyndte meg ut i gangen igjen. Hedvig telte fremdeles.

«Ti … elleve … tolv …»

Jeg åpnet enda en dør. Innenfor var det et stort bibliotek. Her var alle veggene dekket av bøker. Jeg kikket på dem. De fleste så gamle ut. Mørkerøde skinnrygger med gullbokstaver. På gulvet lå et tjukt teppe, ved vinduet stod en hvitmalt gyngestol og i vinduet en diger adventsstake hvor tre av lysene var halvveis nedbrent, slik som de skulle være, for det var jo snart fjerde søndag i advent. Men her var det heller ingen steder å gjemme seg. Jeg måtte virkelig skynde meg nå. Jeg tok noen raske skritt ut i gangen igjen.

«Femten … seksten … sytten», telte Hedvig.

Jeg skulle til å snu meg vekk fra biblioteket, da noe fikk meg til å stanse … Merkelig …

Jeg tok et par skritt inn i rommet igjen.

Det kunne da ikke stemme?

Gyngestolen, som i sted hadde vært så hvitmalt, blank og fin, var plutselig grå i fargen, slitt og støvete.

Jeg ble stående. Blunket, gned meg i øynene. Det måtte være noe med lyset, tenkte jeg. Fra den ene siden så den blank og hvit ut, fra den andre grå.

Ja. Sånn måtte det være.

«Nitten … tjue …»

Og nå måtte jeg gjemme meg!

Jeg skyndte meg mot gangen igjen, kastet et siste blikk mot gyngestolen, og tenk, nå så den faktisk hvit og blank ut igjen. Jo, det måtte ha vært lyset som hadde lurt meg.

Jeg åpnet enda en dør, og den viste seg å lede inn til et trangt bøttekott. Jeg stupte inn, akkurat idet Hedvig sa:

«Den som ikke har gjemt seg nå, skal stå.»

Skrittene hennes var lydløse mot det myke teppet på gulvet i gangen, men jeg hadde satt døren til kottet på gløtt, og i den smale stripen skimtet jeg henne, der hun listet seg fremover.

Hun kikket inn i ett og ett rom, tok seg god tid. Så gikk hun opp trappen til andre etasje og ble borte. Lenge.

Imens stod jeg musestille i kottet. Det begynte å føles trangt. Lukten av vaskemidler stakk i nesa, og busten på en kost klødde i nakken. Jeg forsøkte å vri meg for å finne en bedre stilling, men det var umulig uten å skubbe noe ned fra hyllene.

Jeg begynte å tenke på gyngestolen igjen. Det var jo bare lyset. Men likevel … noe sånt hadde jeg aldri opplevd før, at lyset liksom lurte meg.

Hvis det var lyset, da.

Huset var helt, helt stille. Jeg kunne ikke lenger høre Hedvig. Så lang tid hun brukte … Tenk om hun hadde gått. Tenk om jeg var blitt helt alene her. Jeg var jo ikke akkurat redd for gyngestolen, men likevel, det var et fremmed hus, og det kjentes litt underlig å skulle være her uten Hedvig. Uten noen.

Kanskje burde jeg gå ut og se etter henne. Kanskje hadde hun avlyst leken uten å si ifra til meg …

Men så, før jeg rakk å tenke en tanke til, ble døren til kottet revet opp.

Jeg skvatt så jeg hoppet.

Der stod Hedvig og lo.

«Jeg klarte det! Jeg visste at du var der hele tiden, jeg så øynene dine gnistre der inne i sted da jeg gikk forbi, men så tenkte jeg at jeg skulle la deg få lov til å stå der litt lenger, og løp opp for å lure deg, og tok baktrappen ned, for da kunne jeg liste meg innpå fra den andre siden uten at du ville se meg i dørsprekken. Å, skvatt du veldig? Kjære Julian, si noe, skvatt du veldig? Du er helt blek, det var ikke meningen å skremme deg, jeg trodde bare du ville synes det var morsomt. Unnskyld hvis jeg skremte deg, unnskyld.»

Jeg skalv, og jeg var nok litt blek også. Jo, hun hadde virkelig skremt meg. Men for at hun ikke skulle bli lei seg, smilte jeg likevel.

«Det går bra», sa jeg. «Du lurte meg skikkelig, bare.»

Da lo hun igjen.

«Det gjorde jeg jammen! Jeg er ganske god til det, skjønner du. Vil du stå nå? Jeg lover å ikke gjemme meg på et sted som er altfor vanskelig å finne.»

Jeg kikket ned på klokka.

«Oi, det er middag snart. Nå må jeg hjem.»

«Må du?» sa Hedvig. «Må du virkelig?»

Hun så brått like skuffet ut som om jeg skulle ha tatt fra henne den aller største og hardeste pakken under juletreet.

«Du skal vel sikkert spise snart, du også?» sa jeg.

«Ja», sa Hedvig. «Jo, jeg skal vel det.»

Jeg gikk bort til vinterskoene mine og tok jakken ned fra knaggen.

«Vi sees, da?» sa jeg.

«Det må vi», sa Hedvig.

Så lyste hun opp. «Vil du komme tilbake i morgen?»

«I morgen allerede?»

«Det er lørdag. Du kan komme til frokost. Jeg kan lage mat! Du aner ikke hvor god jeg er til å speile egg!»

Jeg måtte le.

«Men jeg tror jeg må spise frokost hjemme», sa jeg.

«Å», sa Hedvig. «Men etterpå, da? Kan du ikke komme tilbake etterpå? Vær så snill, vær så snill, vær så snill!»

Jeg nikket. «Jo, det går vel bra.»

Og mens jeg tok på meg skoene, kjente jeg at det gikk mer enn bra, jeg kjente at jeg faktisk gledet meg til noe, for første gang på lenge.

KAPITTEL 5

Jeg småløp gjennom gatene hjem fra Hedvig. Det var langt, for hun bodde på den andre siden av byen. Fremdeles satt det liksom en varme i meg fra Villa Kvisten. Tenk å bo i et sånt hus, og tenk å ha pyntet så fint til jul allerede! Hjemme var det ennå ikke dukket opp en eneste liten julestjerne. Mamma og pappa hadde visst ikke fått med seg at det bare var seks dager til jul.

Men kanskje hadde de husket det akkurat i dag, tenkte jeg plutselig. Kanskje hadde mamma kjøpt med seg noen juleblomster fra torget på vei hjem, og pappa funnet frem adventsstaken i messing fra boden og pusset den akkurat så blank som den skulle være. Og kanskje hadde han ringt til mamma og bedt henne kjøpe med fire lange lilla lys til å sette i den. Og kanskje var tre av de lysene tent nå når jeg kom hjem.

Sånn tenkte jeg mens jeg skyndte meg hjemover. Sånn tenkte jeg mens jeg gikk hjemover hver eneste dag. Men ennå hadde ingenting skjedd, ennå var det ikke spor av jul hjemme hos oss.

Jeg åpnet døren og gikk inn i gangen, akkurat idet klokka ble fem. Det luktet fiskekaker.

Fiskekaker. Kunne det være et slags tegn på noe? Fiskekaker var jo ikke akkurat noe man forbandt med jul. Heller ikke med fredager, egentlig. Men nå for tiden hadde vi fiskekaker veldig ofte. Fiskekaker eller kjøttkaker eller fiskegrateng. Det virket som om foreldrene mine hadde glemt at det gikk an å spise noe annet.

Søsteren min Augusta kom ut i gangen.

«Det er middag», sa hun.

«Ja», sa jeg. «Hei, forresten.»

«Hei», sa hun.

Augusta var fem år og rakk meg til midt på armen. Hun luktet sånn som barnehagebarn gjør: en blanding av såpe og melk og våte gummistøvler. Hun hadde helt myke kinn som jeg likte å klemme nesa mot. Men det var ikke alltid jeg fikk lov, og når Augusta sa nei, da ble det nei, for Augusta pleide å vite hva hun ville. Hun kunne bli så sint at mamma strakk armene mot taket og sa at hun ikke visste hva hun skulle gjøre med den ungen, og pappa sa at det var rart at Augusta ikke hadde gått i lufta som en tønne sprengstoff for lenge siden. De pleide å kalle henne for Dynamitten.

Men siden i sommer hadde de ikke kalt henne for det, forresten. For Augusta hadde sluttet å eksplodere …

Jeg fulgte etter lillesøsteren min inn på kjøkkenet. Der stod middagen på bordet. Kokte poteter og fiskekaker med revet gulrot. Det sank i magen. For det hadde ikke dukket opp en eneste liten juleblomst eller adventsstake i dag heller.

Mamma rusket meg i håret. Pappa ga meg en rask klem.

«Hei, Julian», sa mamma.

«Har du hatt det fint i dag?» sa pappa.

«Ja», sa jeg.

Men så sa jeg ikke noe mer, for det var ingen som så på meg og ventet at jeg skulle fortelle. Det var et sånt spørsmål foreldre bare stilte, men ikke egentlig var ute etter noe svar på.

«Har dere hatt det fint, da?» sa jeg og tok en potet.

«Ja», sa mamma.

«Ja», sa pappa.

«Ja», sa Augusta.

Og så skrelte vi hver vår potet uten at noen sa noe mer. Jeg kikket først på mamma, så på pappa. De så helt vanlige ut. De så ut slik de alltid hadde gjort.

Mamma med den samme sveisen, pappa de samme brillene. Akkurat sånn hadde de sett ut så lenge jeg kunne huske. Men likevel var de blitt annerledes dette siste halve året. Det var som om det satt to kopier av dem der. To kopier som ikke helt visste hvordan mamma og pappa pleide å være. At pappa alltid ville planlegge hva vi skulle finne på, både i helgen og om et år, og at han gledet seg sånn at han kunne gjøre små hopp på stolen. Eller at mamma pleide å fortelle om morsomme ting som hadde skjedd på jobben, og ofte lo så høyt at jeg nesten ble flau, mens pappa sa at han elsket den latteren, og at det var den han hadde falt for.

Men nå var de ikke sånn lenger. De var ikke seg selv, de bare lignet.

Plutselig vokste potetbiten i munnen min, for tenk om det var sånn, tenk om mamma og pappa faktisk var byttet ut med noen slags figurer som liksom bare skulle forestille dem. Og at den egentlige mammaen og pappaen min aldri kom til å være her igjen.

Til og med Augusta var en kopi av seg selv, satt bare helt stille og skjøv potetbiter forsiktig inn i munnen med gaffelen, uten å søle, uten å være det minste sint. Jeg kjente at jeg savnet Dynamitten, at jeg savnet henne skikkelig.

… Men aller mest savnet jeg Juni, storesøsteren min. Og det var vel det vi gjorde alle sammen, jeg visste jo det. Jeg skulle ønske vi kunne dratt på kirkegården for å besøke henne, men mamma og pappa ville aldri det. Jeg visste ikke hvorfor. En gang i høst hadde jeg gått dit alene. Graven stod tom og mørk, uten verken blomster eller lys. Der nede lå hun visst. Det var fullstendig umulig å forstå. Alt som var igjen etter henne, var et bed fullt av ugress og en kald stein.

Det var som om hjertet mitt ble til den kalde steinen mens jeg stod der, og jeg klarte det ikke et sekund lenger. Jeg skyndte meg vekk, og hadde aldri gått tilbake.

«Ja ja», sa mamma.

«Ja», sa pappa.

«Så snør det visst igjen», sa mamma.

«Ja», sa pappa.

Været var tydeligvis det eneste vi klarte å snakke om her også.

«... Jeg har tenkt på noe», sa jeg.

«Ja?» sa mamma.

«At vi kanskje burde sette frem adventsstaken», sa jeg.

«Adventsstaken?» sa pappa.

De så på meg begge to. Man skulle nesten tro jeg hadde snakket om en eller annen merkelig ting fra det ytre verdensrom. Det var som om de aldri hadde hørt om en adventsstake før.

«Det er jo fjerde søndag i advent snart», sa jeg.

«Det har du rett i», sa mamma.

«Så sannelig», sa pappa.

«Skal vi gjøre det, da?» sa jeg.

«Det er vel kanskje på tide», sa mamma.

«Ja, det er vel det», sa pappa. «Se, nå laver det virkelig ned.»

Så snakket de om snøen igjen, om at den var våt og tung.

Etter middag gikk mamma ut for å måke. Jeg kikket bort på pappa, for nå måtte han vel snart gå ned i boden for å hente messingstaken og pussemiddelet. Men han var visst opptatt med å rydde kjøkkenet. Og etterpå begynte han på klesvasken, mens mamma, som var ferdig med måkingen, tok frem støvsugeren. Rent, det ville de ha det. Mye renere enn før.

Da jeg gikk og la meg, var det ennå ikke kommet frem verken adventsstake eller lilla lys på kjøkkenbordet. Men inne i meg brant en liten, kald flamme. En skikkelig sint flamme, var det. Jeg krøp under dyna og kjente hvor inderlig lei jeg var. Lei av å ha sånne merkelige kopier av noen foreldre som ikke fikk til noen ting. Lei av at alt var likt som før, men likevel helt annerledes. Lei av fiskekaker. Skikkelig, skikkelig lei av fiskekaker!

KAPITTEL

6

Rett etter frokost neste morgen skyndte jeg meg til Hedvig. Hun var ute og trillet en snøball gjennom hagen. Den var snart så stor at hun ikke klarte å dytte den lenger. Hun hørte meg ikke før jeg stod rett ved henne på den andre siden av det hvite stakittgjerdet.

«Hallo», sa jeg.

Hun snudde seg og smilte så alle fortennene syntes.

«Du kom!» sa hun.

«Ja», sa jeg. «Jeg gjorde visst det.»

«Tenk at du kom, det hadde jeg nesten ikke trodd, nei, absolutt ikke, jeg mener, jeg håpet, og krysset alt jeg har av tær og fingrc, så klart, og foldet til og med hendene i en bitte liten hviskebønn, men jeg hadde nesten ikke trodd det, nei, for det er nesten for godt til å være sant.»

«Nesten river ingen mann av hesten», sa jeg.

Da lo hun. Så nikket hun mot snøballen.

«Du må hjelpe meg, jeg får den ikke en meter lenger.»

Jeg åpnet porten og skyndte meg inn til henne. Sammen dyttet vi snøballen

enda et stykke gjennom den dype snøen, og for hver meter vokste den. Til slutt klarte vi ikke å bevege snøballen en millimeter lenger, selv om vi var to.

«Større blir den visst ikke», sa Hedvig. «Men det får være bra nok.»

«Ja», sa jeg. «Bra nok til hva da, forresten?»

«Nei du, det vet jeg ikke, hva syns du? Vi kan så klart bygge en snømann, jeg har en gulrot inne, og en gammel hatt vi kan bruke. Kanskje kan jeg finne en pipe også, men en snømann er så vanlig, syns du ikke, vi må da kunne finne på noe annet enn det. En snødame, det er tross alt litt mer uvanlig. Eller et snøbarn, kanskje, en diger, krabbende baby, det hadde vært noe, eller en gammel dame, en skikkelig sur gammel tante, eller en vill fetter, eller en …»

«En søster.» Det bare ramlet ut av meg.

«En snøsøster!» sa Hedvig «Du er ikke så dum, du, Julian!»

«Men vi trenger ikke, altså», sa jeg. «Kanskje er det morsommere med en sur gammel tante.»

«Nei», sa Hedvig. «Vi lager en søster, en storesøster. Jeg har alltid ønsket meg det. Jeg er veldig glad i storebroren min, men jeg har alltid ønsket meg en søster også. Og nå kan jeg jo få det. I snø.»

Så bygde vi søsteren sammen. Snøen var kram og lett å forme, og Hedvig var flink med hendene. Vi trillet en mindre ball og satte oppå den store, og en enda mindre på toppen. Så ga vi figuren skuldre og armer. Den nederste, store ballen ble et digert skjørt.

«Hun har pyntet seg», sa Hedvig. «Til jul.»

Vi ga henne langt hår av snø, formet nesa av snø og lagde mørke øyne av små furukongler. Til slutt ordnet Hedvig en bukett av grankvister og festet i snø-hånden hennes.

«Det er juleroser», sa hun. «Tror du ikke at en sånn stor søster ønsker seg roser til jul?»

«Jo», sa jeg.

Mer klarte jeg plutselig ikke å si. Jeg vet ikke helt hvordan det hadde skjedd, men snøsøsteren lignet på Juni. Hun var like høy som Juni hadde vært, håret var like langt, og det var et eller annet med fasongen på haken som var akkurat som på Juni.

Jeg knep øynene igjen. Tenk hvis … tenk hvis jeg åpnet dem nå og det faktisk var Juni som stod der. Juni i levende live.

Jeg skyndte meg å åpne øynene. Dumme Julian. Det var bare snø, snø fra Hedvigs hage, og noen kongler og kvister. Ingenting annet.

Det sved i halsen, jeg snudde meg vekk. Hedvig la hånden på armen min.

«Er det noe, Julian?»

«Nei», sa jeg. «Nei da.»

Hun kikket lenge på meg, men jeg turte ikke å møte blikket hennes. Jeg var redd for å begynne å gråte. Jeg bare så bort, på snøen, på trærne, på ingenting. Men Hedvigs hånd var der fremdeles.

«Minner hun deg om noen?» spurte hun lavt.

Jeg turte endelig å kikke opp. Hedvig så på meg med de grønne, snille øynene sine. Jeg nikket.

«Hvem … hvem da?» sa Hedvig.

«Jeg hadde en søster», sa jeg. «Hun døde i sommer. Rett før hun skulle ha bursdag. Hun ville blitt seksten år.»

Det blåste i hagen. Hedvigs øyne ble blanke, men jeg visste ikke om det skyldtes vinden eller det jeg fortalte. Plutselig bøyde hun seg frem og ga meg en rask, liten klem. Så ble hun stående helt stille, som om hun ventet på at jeg skulle fortelle mer. Og jeg kunne det nå, tenkte jeg. Hedvig var et sånt menneske som man kunne fortelle ting til. Men jeg klarte ikke, for jeg var så redd for at jeg bare ville begynne å hyle og ikke kom til å få frem et eneste ord. Men jeg strakte hånden frem og trykket armen hennes fort, sånn at hun skulle forstå at jeg var glad for at hun stod der.

Hun skjønte visst at jeg ikke klarte å fortelle mer akkurat nå, for hun smilte til meg og slo floke.

«Jeg er kald, jeg. Og sulten, det kjennes som om jeg ikke har spist på femti år. Jeg lovet deg jo egg, ikke sant, så kanskje vi skal gå inn nå?»

«Ja», sa jeg. «Takk.»

Da jeg fikk av meg de kalde, våte klærne fulle av snø og jeg kjente varmen fra huset til Hedvig, forsvant heldigvis den sviende følelsen i halsen.

Villa Kvisten var enda koseligere enn dagen før. Nå stod alle dørene åpne ut til gangen, som om rommene liksom sa velkommen til oss. Men huset var veldig stille.

«Er du alene hjemme i dag også?» spurte jeg.

«De har dratt for å handle», sa Hedvig. «Og broren min er sikkert ute og går på skøyter.»

«Å.»

«Hvis du blir her en stund, får du nok treffe dem.» Det siste sa hun veldig fort.

«Ja ...» sa jeg og gikk mot kjøkkenet. «Trenger du hjelp med eggene, forresten?»

«Hjelp med speilegg?» sa hun. «Nå har jeg aldri hørt!»

Hun pekte på stua.

«Nei, du kan sette deg der, du. Så er det klart på et ørlite blunk.»

Jeg krøp opp i den store sofaen med alle putene, og det *var* virkelig som å sitte på fanget til en myk gammel dame. I kakkelovnen glødet det, jeg strakte tærne mot den og kjente

at jeg ble varm fra innerst til ytterst. Snart luktet det speilegg og bacon fra kjøkkenet, og jeg fikk vann i munnen.

Jeg krøllet meg sammen til en varm, liten ball, men i det samme oppdaget jeg noe utenfor vinduet. En mann stod ved porten til hagen og kikket inn. Han var ganske gammel, som en bestefar, og hadde langt grått skjegg. Men han så langt ifra bestefarhyggelig ut. Han stirret mot Villa Kvisten med et underlig uttrykk i ansiktet. Sint … eller trist … eller begge deler? Jeg reiste meg, og gikk nærmere vinduet. Der stilte jeg meg i skjul bak de tjukke gardinene og så på ham.

Han la hånden på porten og nølte. Skulle han inn? Var han kanskje i familie med Hedvig? Jeg håpet virkelig ikke det, for noe ved ham skremte meg. Den veldige tristheten. Eller sinnet. Eller hva det nå var.

Så åpnet han porten og gikk langsomt inn i hagen. Hvert eneste skritt var prøvende. Det var som om han ikke klarte å bestemme seg for om han skulle fortsette eller snu.

Jeg skyndte meg ut i gangen og sa til Hedvig på kjøkkenet:

«Hedvig, du må komme. Det er noen her. Du får en gjest.»

«Ja, vent. Jeg kommer nå. Er det noen her? Det kan da ikke stemme.»

Hun hadde fått en dyp rynke i pannen.

«Han ser ikke så blid ut, akkurat», sa jeg.

Vi gikk bort til stuevinduet sammen. Jeg følte fremdeles for å holde meg litt gjemt bak gardinene, og det så ut til at Hedvig gjorde det samme. Så sånn stod vi bak hver vår tjukke fløyelsgardin og kikket ut i hagen.

«Men hvor er han?» sa Hedvig.

«Jeg vet ikke», sa jeg. «Han stod der akkurat.»

«Hvor da?» sa Hedvig.

«Han hadde gått gjennom porten og inn i hagen.»

Vi stirret ut på snøen, på stien som gikk mot inngangsdøren. Den var tom. Mannen var forsvunnet.

Hedvig snudde seg mot meg.

«Du bare tuller, du?»

«Nei», sa jeg. «Jeg lover. Det var en mann her, akkurat nå. Har du kanskje en bestefar eller noe?»

«Nei», sa Hedvig.

«Eller en gammel onkel?»

«Ingen jeg vet om.»

«Eller en …»

«Glem den gamle mannen», sa Hedvig. «Nå blir eggene svidd.»

Hun løp tilbake til kjøkkenet igjen.

Jeg ble stående ved vinduet. Hagen var full av fotspor etter Hedvig og meg. Gangstien var også nedtråkket. Jeg ville ikke klart å se mannens fotspor. Plutselig grøsset jeg. Kanskje hadde han ikke gått der. Kanskje hadde han ikke vært der i det hele tatt?

KAPITTEL
7

Vi dekket på i spisestua, som hadde helt lilla vegger.

«Adventsrommet», sa Hedvig. «Er det ikke fint?»

«Jo, veldig … Har dere pyntet ferdig allerede?» spurte jeg.

For også her var det julepynt overalt. Papirengler fløy i vinduene. På lysekronen i taket var det festet røde sløyfer, og midt på bordet stod en diger adventsstake med store kubbelys. Det var visst adventsstaker i hvert eneste rom her.

«Ferdig, nei», sa Hedvig. «Det er mange steder i huset som ikke er pyntet ordentlig ennå. Og det er viktig at det er pynt overalt. Vet du hvorfor?»

«Nei?»

«Det ville vært urettferdig om ikke doen ble pyntet, når spisestua ble det. Kanskje doen ville blitt lei seg!»

«Lei seg?» Jeg måtte smile.

«Hus har følelser, tror jeg. Hvert eneste rom. Særlig rommene her i Villa Kvisten, hvis du skjønner hva jeg mener.»

«Ja», sa jeg.

For Villa Kvisten var virkelig et sånt hus som levde.

«Jeg elsker å pynte», sa Hedvig «Jeg syns hver minste lille krok av huset skal være fin til jul, syns ikke du? Juleregel nummer en: Det kan aldri bli nok jul. Selv bøttekottet skal pyntes. Jeg har en egen nisse som jeg setter der inne, sånn at når man åpner døren for å hente noe så kjedelig som kosten, så glemmer man likevel ikke at det er jul. Sånn må det være, syns jeg. For julen er sånn en fin tid at det er viktig å huske på den hele tiden.»

Jeg nikket og tenkte på vår egen adventsstake som bare stod i kjellerboden.

Hele resten av formiddagen tenkte jeg på den. Til slutt var det som om jeg ikke klarte å tenke på noe annet. Jeg sa ha det til Hedvig og skyndte meg hjem.

Da jeg kom inn døren, satt mamma og pappa med hver sin avis i sofaen. De hadde visst god tid, så det ut som. Mer enn god nok tid til å finne frem adventsstaken, tenkte jeg. Men siden de tydeligvis hadde glemt den igjen, skyndte jeg meg ned i kjelleren.

Staken stod øverst på en hylle foran esken med juletrepynt. Den var rukket å bli ganske grå i løpet av året som hadde gått. Jeg tok den med meg opp. Innerst i kjøkkenskapet fant jeg messingpuss og en fille. Jeg gnidde inn pussemiddelet, lot det virke litt, sånn jeg hadde sett at pappa gjorde, og så tørket jeg det av igjen.

Nå kom den ekte fargen på lysestaken til syne.

Jeg gnikket og gned til jeg var sikker på at hver eneste grå flekk var forsvunnet. Så satte jeg staken midt på kjøkkenbordet og bare så på den. Sånn skulle den være: skinnende, gullende blank.

Nå manglet jeg bare lys.

Jeg rotet lenge rundt i kjøkkenskuffene før jeg fant en gammel pakke med stearinlys og en eske fyrstikker. Tidligere pleide mamma og pappa ofte å tenne lys, særlig om høsten, når mørket kom. Men i høst hadde de nøyd seg med taklampen. Denne pakken måtte nok være fra i fjor. Lysene var hvite, men det fikk ikke hjelpe.

Jeg tok ut fire stykker og satte dem i staken. Det var litt vanskelig å få dem til å stå, men jeg støttet dem opp med sølvpapir, for det hadde jeg sett at pappa pleide å gjøre. Så tente jeg tre av dem og tok et steg tilbake.

Bortsett fra at lysene var hvite, ikke lilla, så staken akkurat ut som den pleide. Det gikk et ørlite lyn av glede gjennom meg. Nå var det sannelig blitt advent her også!

I det samme kom pappa inn i rommet. Han gikk mot kaffetrakteren for å fylle koppen sin. Han så visst ikke staken på bordet.

Jeg kremtet høyt.

«Uff», sa pappa. «Er du blitt forkjølet?»

«Nei da», sa jeg.

«Husk å bruke skjerf, da», sa pappa.

Han løftet kannen fra trakteren og helte koppen halvfull. Så gikk han mot stua igjen. Jeg kremtet enda en gang. Høyere nå.

Pappa stanset. Han så på meg.

«Går det bra?»

Fremdeles oppdaget han ikke lysene på bordet. Den gamle pappaen min ville ha sett dem med det samme. Han fikk nemlig med seg ting, særlig når jeg stod bak. Men denne nye kopipappaen min var så sløv, så sløv at jeg nesten ikke syntes han fortjente at jeg hadde pyntet til advent.

Jeg svelget.

«Jeg har pyntet til advent», sa jeg så fort jeg kunne og pekte på staken på bordet.

«Å», sa pappa. «Se der, ja.»

«Ja», sa jeg. «Se der.»

«Hvor fant du den?»

«I kjellerboden.»

«Ja vel.» Han trakk pusten. «Tre lys alt, ja . . .»

«Og i morgen er det fire», sa jeg.

«Tiden går», sa pappa.

«Ja», sa jeg.

«Og du har funnet den selv.»

«Dere hadde jo glemt den», sa jeg.

«Vi hadde visst det», sa han.

«Så jeg ordnet det», sa jeg. «Jeg har pusset den også. Sånn som du pleier.»

«Fint», sa han. «Fint, Julian.»

Men det så ikke ut som om han mente det. For øynene hans var fremdeles helt fjerne. Han rusket meg i håret, tok kaffekoppen sin og gikk ut i stua igjen.

Jeg ble stående igjen der på kjøkkenet. Alene ved siden av de fire lysene i adventsstaken. De så triste ut, syntes jeg, liksom ensomme. Feil farge hadde de også. Jeg skyndte meg å blåse dem ut. Røyken ble hengende igjen i lufta, blå og ekkel. Idiotiske lys, tenkte jeg. Idiotiske advent.

Jeg gikk ut av kjøkkenet og opp på rommet mitt. Jeg slengte døren igjen etter meg, men det var det sikkert ingen som hørte. Så hev jeg meg ned på senga og begravde hodet i puta. Jeg lå sånn med hele ansiktet trykket ned mot putetrekket til jeg måtte snu meg fordi jeg ikke fikk puste lenger.

Tenk på noe bra, Julian, sa jeg til meg selv. Noe bra.

Vanligvis når jeg skulle finne noe bra å tenke på, tenkte jeg på julaften. Men nå nyttet ikke det. For julen var visst avlyst hjemme hos oss.

Så kom jeg på Hedvig. Det snille ansiktet hennes, munnen som lo. Jeg prøvde å huske hvordan latteren hennes hørtes ut, varm og vill på en gang.

Det hjalp.

Hedvig, tenkte jeg, hun hadde vært så snill mot meg. Det var på tide at jeg var snill mot henne også. At jeg gjorde noe som hun virkelig ble glad for.

Og jeg visste akkurat hva jeg skulle finne på.

Jeg reiste meg fra senga, gikk bort til skrivebordet mitt og fant sparegrisen min. Hvis jeg skyndte meg, ville jeg akkurat rekke butikkene før de stengte.

KAPITTEL

8

«God morgen», sa jeg og skyndte meg inn i gangen hos Hedvig.

Klokka var bare ni, men jeg klarte ikke å vente lenger. For helt siden jeg kjøpte gaven i går ettermiddag, hadde jeg bare villet møte henne igjen.

Hedvig så overrasket på meg.

«Du er tidlig ute», sa hun. «Og du er helt rød i ansiktet. Har du løpt?»

«Nei da», sa jeg. «Eller … kanskje litt.»

Jeg klarte ikke å la være å smile. Jeg var så spent at det liksom boblet i meg.

Jeg skyndte meg av med jakken og skoene, mens Hedvig så nysgjerrig på meg. Det var stille i huset. Så åpnet jeg sekken min og fant frem presangen. Den hadde blått papir med rosa blomster. Jeg måtte be damen i butikken finne frem det vanlige gavepapiret, for jeg ville ikke ha nisser på gaven. Den hadde jo tross alt ingenting med julen å gjøre.

«Til meg?» sa Hedvig.

Hun så så overrasket ut at jeg måtte le.

«Ja, til deg.»

«Men det er jo ikke jul ennå?» sa Hedvig.

«Dette er heller ikke en julegave», sa jeg. «Ta den, da.»

Jeg måtte nesten stikke den til henne for at hun skulle løfte opp hendene og ta imot.

Hun ble stående sånn og bare se på pakken, snudde på den, ristet litt og klemte forsiktig.

«Den er ikke så stor», sa hun.

«Nei», sa jeg.

«Men myk», sa hun. «Noen sier at myke pakker er kjedelige, men det er jeg ikke enig i. Ingen pakker er kjedelige. Det er jo det som er så bra med pakker. At bare fordi noe er pakket inn, så blir det spennende. Først når pakken er åpnet, ser man om den er kjedelig eller ikke, og da er det ikke lenger en pakke. Derfor er det helt feil å si at myke pakker er kjedelige, syns jeg.»

«Ja», sa jeg. «Du har kanskje rett i det.»

«Veldig fint papir også», sa hun.

«M-m», sa jeg. «Og nå kan du vel åpne?»

«Ja da.»

Men hun ble bare stående og se på gaven. Så kikket hun plutselig på meg.

«Jeg er så spent!»

«Det er jo bare å pakke opp.»

«Men når jeg gjør det, kommer jeg til å finne ut hva det er.»

«Det er liksom meningen, da.»

«Og da er jeg ikke spent lenger.»

«Nei ... og ...?»

«Og, skjønner du ikke, det er så fint å være spent! Det er som om hjertet står på skøyter, snurrer rundt og rundt i piruetter til jeg blir helt svimmel, vidunderlig svimmel, skjønner du ikke hva jeg mener?»

«Eh ... jo, på en måte.»

Hjertet på skøyter og *piruetter* og *vidunderlig*, Hedvig hadde sannelig en helt egen måte å si ting på. Jeg kjente ingen som lignet på henne. Jeg kjente ingen som var i nærheten engang.

«Men nå må du faktisk åpne gaven», sa jeg og smilte.

«Ja, du har rett», sa Hedvig. «Det er faktisk grenser for hvor mange ganger hjertet kan ta piruett.»

Vi tok med oss gaven inn i den røde stua. Hun la den på bordet, og vi satte oss begge i sofaen. Så begynte hun.

Først løsnet hun knuten på båndet. Jeg vet ikke hvordan du pleier å gjøre det, men når jeg åpner gaver, river jeg vanligvis bare av båndet, krøller det sammen og kaster det. Eller klipper det av med en saks hvis det sitter stramt, før jeg uansett kaster det. Men Hedvig, hun stakk neglene inn i knuten og løsnet den forsiktig. Så knyttet hun den helt opp, før hun surret båndet sammen i en pen liten bunt.

Deretter gikk hun løs på papiret. Langsomt pirket hun løs hver eneste teipbit.

Da alt var løsnet, satt hun bare og så på gaven i papiret en stund. Så trakk hun pusten og brettet papiret til side.

Jeg tror ikke hun skjønte hva det var med det samme, for hun rynket øyen-brynene og la hodet på skakke. Så tok hun tak i det røde stoffet og holdt den opp foran seg.

«En badedrakt!»

«De hadde blå og svart også. Men jeg har jo sett at du liker rødt, så jeg tok den.»

«Julian!» sa Hedvig.

Og nå smilte hun over hele fjeset.

«Tusen, tusen takk!»

Hun bøyde seg frem og ga meg en kjempediger klem. Jeg klemte tilbake, og kjente at hjertet mitt også tok en piruett, for så glad kunne jeg ikke huske at noen hadde blitt for en gave fra meg før. Det var sannelig verdt å bruke nesten alle sparepengene mine på!

Da vi hadde klemt ferdig, ble hun bare sittende og se på badedrakten.

«Er du klar, da?» sa jeg.

«Klar for hva da?» spurte Hedvig.

«Å lære å svømme, vel.»

«Hva?»

«Jeg tenkte at jeg kunne lære deg å svømme. Det var jo derfor jeg kjøpte bade-drakten.»

«Nå? I dag?»

«Hvorfor ikke? Svømmehallen er åpen.»

Hun lo.

«Ja, hvorfor ikke?»

Jeg gikk ut i hagen mens hun pakket. Selv hadde jeg tatt med både håndkle, bade-bukse og sjampo i sekken min og var klar. Det var bare to dager siden jeg svømte sist, etter skolen på fredag. Men det føltes mye lenger siden, som om det hadde gått minst en uke. Så rart. Kanskje det var fordi jeg hadde truffet Hedvig. Bare to dager, og likevel så kjentes det som om vi var gamle venner.

Jeg gikk bort til snøsøsteren vår, jeg tok av meg votten og la hånden på henne. Det var blitt kaldere i lufta siden i går, og hun var hard som is. Hvis kulden holdt seg, ville hun være like fin lenge. Jeg børstet av henne litt lett snø som hadde falt i løpet av natten.

I det samme hørte jeg en lyd fra porten inn til hagen. Den knirket høyt og gikk opp. Noen kom inn.

Jeg kikket frem bak snøsøsteren og kjente ham igjen med det samme. Det var ham. Den gamle, skumle mannen.

Han tok noen steg inn i hagen. Skrittene var lydløse over den lette, kalde ny-snøen. Også i dag gikk han liksom nølende, som om han ikke klarte å bestemme seg for om han skulle fortsette eller snu.

Så stakk han den ene hånden i lommen og gravde rundt der nede. Det klirret i noe. Han trakk et stort nøkkelknippe opp av lommen, plukket ut en bestemt nøkkel, en riktig stor, rusten og gammel en, og holdt den foran seg.

Mannen fortsatte videre et par skritt med nøkkelen i hånden, men så stanset han igjen, løftet hodet og begynte å kikke seg rundt.

Jeg stupte ned bak snøsøsteren. Der ble jeg sittende musestille. Han kunne helt sikkert ikke se meg bak her, men plutselig oppdaget jeg pusten min. Den ble til store, hvite skyer over meg i lufta. Tenk om han kunne se den!

Jeg slo en hånd foran munnen, og så holdt jeg rett og slett pusten.

Når man svømmer mye, blir man god til å holde pusten, for det gjør man jo så ofte, hver gang man er under vann. Jeg visste at jeg klarte seksti sekunder, så nå begynte jeg å telle.

En, to, tre, fire, fem …

Hvis jeg bare satt her helt stille og ikke pustet, ville han nok gå sin vei igjen. Med mindre han gikk inn i huset, da. Men inn i huset? Hva skulle han der? Og hvorfor hadde han egentlig en nøkkel?

Seks, sju, åtte, ni, ti …

Og hva skjedde hvis Hedvig kom ut samtidig som han gikk inn? Jeg burde kanskje advare henne. Det er en mann her, burde jeg si, en mann som du ikke kjenner, og han har tydeligvis, av en eller annen merkelig grunn, nøkkel til huset ditt.

Elleve, tolv, tretten, fjorten, femten …

Hvor ble hun egentlig av, forresten? Og hva skjedde med mannen? Det var så ekkelt at jeg ikke kunne høre skrittene hans, for da kunne han jo gå hvor som helst uten at jeg visste det. Han kunne stå rett bak snøsøsteren nå og se ned på meg. Eller han kunne ha gått sin vei … men hvor var Hedvig?!

KAPITTEL 9

Jeg vred meg rundt slik at jeg kunne skimte inngangsdøren, og akkurat da kom hun ut. Hun hadde ei diger, blomstrete veske som så sprengfull ut. Og hun smilte over hele ansiktet.

«Julian? Unnskyld at det tok litt tid. Jeg har aldri vært i svømmehallen før og var litt usikker på hva jeg trengte. Men nå er jeg i hvert fall klar. Jeg håper du ikke holder på å dø av kjedsomhet, Julian … Julian? Hvor er du?»

Hedvig gikk nedover gangstien, og nå måtte hun vel oppdage mannen, tenkte jeg. Nå måtte hun få øye på den gamle, underlige fyren. Og han måtte se henne. Men ingenting skjedde, ingenting annet enn at hun ropte på meg igjen.

«Julian? Skulle ikke vi svømme?»

Jeg reiste meg fort.

Hun stod på gangstien med den store blomstrete veska si og så spørrende på meg. Men den gamle mannen, han var igjen forsvunnet.

Jeg snudde meg, kikket oppover veien og nedover veien, men jeg kunne ikke se ham noe sted.

«Vent litt», sa jeg til Hedvig.

Så løp jeg ut gjennom porten og rundt gatehjørnet for å sjekke om han var der.

Men også der var det tomt.

Jeg skyndte meg tilbake til henne. Han måtte ha gått fort og stille. Og jeg ble irritert over at han bare hadde sluppet unna på den måten.

«Hva er det?» spurte Hedvig.

«Han gamle mannen igjen», sa jeg.

«Hvilken gammel mann?»

«Du husker vel det, han som gikk og lusket ute i hagen i går.»

Hun så på meg. Det så ut som om hun skulle til å si noe, men så bet hun seg i leppa.

«Han hadde med seg nøkkel», sa jeg. «Han hadde nøkkel til huset ditt.»

Hedvig bøyde hodet, stirret på snøen foran seg.

«Du må jo vite hvem han er?» sa jeg.

Og nå kjente jeg at jeg ble enda mer irritert, ikke bare på mannen, men på Hedvig, som plutselig skulle være så hemmelighetsfull.

«Han har nøkkel!» sa jeg.

Endelig så hun opp.

«Det kan hende jeg vet hvem han er …» sa hun langsomt.

Hun var helt alvorlig, og i øynene hennes var det noe jeg ikke hadde sett før. Som om noe eller noen liksom stakk henne og det gjorde vondt.

«Ja?»

«Men det kan hende jeg ikke kan fortelle deg det.»

«Men hvorfor … Er du redd for ham?»

«Det kan hende jeg ikke vil si hvorfor heller.»

«Men … Hva er det med ham? Hvorfor har han nøkkel?»

Hun tok et skritt mot meg. Så slapp hun den digre veska rett ned i snøen og slo armene rundt meg.

«Julian», sa hun. «Det er ikke alt jeg kan fortelle deg. Ennå. Men jeg håper du vil være vennen min likevel.»

«Jeg mente jo aldri at vi ikke skulle være venner», sa jeg. «Men blir du ikke redd over at han har nøkkel og kan låse seg inn?»

«Nei», mumlet hun inn i jakken min. «Nei, jeg blir ikke redd. Ikke for det.»

«Men hvorfor kan du ikke bare si det?» sa jeg.

«Ikke spør mer. Vær så snill», sa hun.

«Lover du at du ikke er redd for ham?»

Hun nikket.

«Jeg lover.»

Men det så ikke ut som om hun mente det.

Hvis hun gikk rundt og var redd … hvis han kunne låse seg inn og hun var alene …

Men jeg fikk ikke sagt noe mer, for nå rettet Hedvig på lua og så på meg som om ingenting hadde skjedd.

«Kan vi gå nå? Vi skulle jo svømme. Å, jeg kan nesten ikke vente til jeg lærer det! Kan vi ikke gå, da, Julian?»

«… Jo», sa jeg. «Vi får vel det».

«Hurra!»

Svømmehallen var stille nå rett før jul. Alle var sikkert travelt opptatt med å fyke frem og tilbake mellom butikker og juleverksteder og kakebakst og grantre-

hugging i skogen og alt det hyggelige man pleier å gjøre før jul. Hedvig og jeg hadde nesten hele bassenget for oss selv.

Jeg startet på grunna.

Hedvig nølte med å komme uti. Jeg så at hun hutret.

«Først skal du bare venne deg til vannet», sa jeg.

«Å», sa hun.

Forsiktig klatret hun ned badestigen.

«Det er kaldt», sa hun.

«Men det biter ikke», sa jeg, for det hadde pappa alltid pleid å si til meg da jeg skulle lære å svømme.

«Vi får nå se på det», sa hun.

«Du blir vant til det», sa jeg. «Du må liksom senke deg ned i det, til vannet når deg til haken.»

Hun nikket, men ble bare stående helt stille.

«Kom igjen, sånn her», sa jeg og viste. «Det er bare å bøye knærne.»

Langsomt bøyde hun seg også. Så satt vi på huk begge to, med vannet rett under haken.

«Nå kan du trekke pusten og dukke helt under», sa jeg.

«Nei», sa Hedvig. «Tenk om jeg får vann i lungene?»

«Jo», sa jeg. «Du skal ikke puste inn, vet du, men du kan godt lage bobler.»

Jeg dukket helt under for å vise. Men jeg var ikke der nede for lenge, for jeg ville få det til å virke lett for henne. Og jeg smilte da jeg kom til overflaten igjen.

«Ser du. Lett som ingenting.»

«Hm», sa Hedvig.

Så trakk hun endelig pusten og dukket ned. Jeg trodde hun skulle komme opp med det samme, men det eneste som steg til overflaten, var noen små bobler. Hun ble og ble der nede under vann. Og ble der.

Endelig hoppet hun opp foran meg. Vannet rant fra håret hennes, som lå som en rødbrun hjelm rundt hodet.

«Så du det?» sa hun og lo høyt. «Jeg klarte det!»

Hun prøvde noen ganger til, men så sa jeg at vi kunne gå opp på kanten.

«Opp alt?» Hun så skuffet ut. «Men nå har jeg jo klart det.»

«Vi må øve litt på beinsparkene», sa jeg.

Hedvig lærte fort. Hun så en liten stund på hvordan jeg gjorde det, så la hun seg ned på flisene ved siden av meg og gjorde det samme.

«Du er kjempeflink!» sa jeg.

Jeg syntes plutselig stemmen min hørtes litt ut som pappa sin. Sånn pleide han å skryte av meg også når han skulle lære meg noe. Og det hjalp med skryt, det visste jeg godt, da lærte man fortere.

«Siden du er så flink», fortsatte jeg, «kan vi gå ut i vannet igjen.»

«Jippi!» sa Hedvig.

«Så gjør du sånn som jeg lærte deg med beina, og sånn som dette med armene.»

Jeg viste henne hvordan man krålet.

«Sånn?» sa hun og hermet.

«Helt riktig», sa jeg.

«På en prikk?» sa hun.

«Helt riktig på en prikk», sa jeg. «Så bøyer du deg fremover og legger på svøm, enkelt og greit.»

Jeg la meg fremover og viste henne, sparket godt ifra med beina og krålet med store bevegelser, sånn som pappa hadde lært meg den sommeren jeg fylte sju. Jeg svømte noen meter fremover, og så tilbake til henne.

«Det er lett», sa jeg.

«Det ser lett ut», sa hun.

«Du kommer til å klare det», sa jeg.

«Jeg kommer til å klare det helt fantastisk!» sa hun.

Og så kastet hun seg ut i vannet.

Jeg husket plutselig hvor vanskelig det hadde vært å lære seg å svømme. Og hvor glad jeg var da jeg hadde fått det til, så glad at jeg boblet av glede. Sånn var det vel kanskje for Hedvig nå, heldige henne. Men det var sannelig ganske fint å være læreren også. Det var første gang jeg kunne huske at jeg liksom underviste en annen. Vanligvis var det jo andre veien og et annet menneske, stort sett en voksen, pappa eller mamma eller en lærer, som underviste meg. Men nå var jeg læreren. Og Hedvig var på en måte mitt ansvar. Hvis hun ikke fikk det til, var det min skyld.

Jeg merket hvordan hjertet mitt dunket. Jeg håpet så inderlig hun greide det!

KAPITTEL 10

Hedvig svømte rett mot dypet, så sikker følte hun seg visst allerede. Jeg ble glad av å se det.

Først så det bra ut. Hun gjorde sånn som jeg hadde lært henne. Armene gikk fort frem og tilbake, beina like fort opp og ned. Alt virket riktig.

Hun klarte å komme seg noen meter fremover, men det var kanskje mest fordi hun hadde fart etter avsparket. Så stanset hun opp. Jeg kunne se hvordan hun strevde, armene gikk, og føttene også, men hun kom seg ikke videre.

Det eneste stedet hun kom seg, var nedover.

Jeg ble stående helt stiv. Hun bakset med armene, sprutet og strevde, men bevegelsene hjalp ikke det aller minste. For hun sank.

Hun hadde rukket å komme seg et stykke ut. Akkurat langt nok til at hun ikke lenger kunne nå bunnen med føttene, og hun kom seg verken frem eller tilbake. Eller opp. Hun bare sank. Druknet.

Da var det som om jeg plutselig våknet opp. Jeg kastet meg fremover, svømte det raskeste jeg kunne bort og tok tak i henne.

Hun gispet etter luft da jeg fikk hodet hennes til overflaten. Jeg dro henne inn, til vi begge kunne stå, og først der klarte hun å si noe.

«Det … det var bra du kom!»

«Unnskyld», sa jeg. «Jeg skulle ikke ha latt deg svømme på dypet.»

«Det var jeg som svømte dit», sa hun. «Det var ikke din skyld. Men … jeg var så sikker på at jeg skulle klare det.»

«Du klarer det snart», sa jeg. «Vi må bare øve litt mer.»

Og det gjorde vi, øvde og øvde. Vi holdt oss på grunna, for jeg hadde ikke lyst på flere nesten-drukninger. Det hadde visst ikke Hedvig heller, for hun gjorde nøyaktig som jeg sa. Hun var en skikkelig flink og tålmodig elev, og jeg var en skikkelig flink og tålmodig lærer, tror jeg.

Men det hjalp ikke at både hun og jeg var flinke. Eller tålmodige.

Saken var at det var umulig å lære Hedvig å svømme.

Uansett hvor ivrig hun var, sank hun bare.

Vi prøvde både brystsvømming, ryggsvømming og krål. Og jeg forsøkte å lære henne alle triksene både pappa og svømmelæreren min hadde lært meg.

Men ingenting nyttet.

Til slutt ble hun bare stående inne på grunna. Øynene hennes som vanligvis lyste av glede, var helt sluknet.

«Går det bra?» spurte jeg og la forsiktig hånden min på armen hennes.

Hun svarte ikke.

«Hedvig?»

«Det gjelder å ikke gi seg», sa hun lavt.

Men det så ikke ut som om hun mente det.

«Kanskje vi skal ta en pause», sa jeg.

Hun nikket uten å se på meg.

«Ja, vi trenger nok en pause.»

Vi satte oss på en benk rett ved vinduet.

«Der stod du», sa jeg og pekte. «Da jeg så deg første gang. Du hadde nesa klemt mot vinduet, sånn her», sa jeg og trykket på nesa mi. «Du lignet på en gris. En snill gris.»

Jeg håpet hun skulle le, men hun sa fremdeles ingenting. Jeg oppdaget at øynene hennes var blitt blanke.

«Hedvig?» spurte jeg forsiktig.

Hun nikket fort.

«Ja, ja da.»

«Det er ikke så farlig om du ikke klarer det i dag», sa jeg. «Vi kan fortsette å øve, helt til du svømmer som en fisk. Eller en delfin.»

«Det gjelder å ikke gi seg», sa hun igjen, som om det var noe hun hadde lært seg utenat.

Hedvig trakk pusten. «Det er bare det at …»

Hun ble stille.

«Ja?» sa jeg.

«Jeg er ikke sikker på om jeg noensinne kommer til å klare det.»

«Hva?» sa jeg. «Klart du kommer til å klare det.»

«Men det er akkurat som om kroppen min ikke vil», sa Hedvig. «Som om det er … hva heter det … fysisk umulig for meg å svømme.»

«Du har kanskje ikke det største talentet for svømming», sa jeg. «Men umulig kan det vel ikke være.»

«Jo», sa Hedvig. «Jeg tror kanskje det.»

«Men hvorfor det?» sa jeg.

Hun snudde hodet og stirret på meg. Hun åpnet munnen, og det var som om hun skulle til å si noe, som om hun skulle til å fortelle meg noe. Noe veldig stort og viktig og alvorlig. Men så tok hun seg visst i det.

«Vi får vel fortsette, da», sa hun lavt.

«Ja?» sa jeg.

Hun stirret på bassenget, og det så ut som hun virkelig grudde seg. «Det går vel til slutt.»

Jeg visste ikke hva jeg skulle svare. Det var ikke sånn jeg hadde tenkt at dagen i dag skulle bli. Jeg hadde gledet meg sånn til å se henne få det til, og så ble alt bare trist.

«Eller kanskje vi skal kalle det en dag, som det heter», sa jeg. «Ingen lærer noe når de er utslitt.»

Det var også noe pappa pleide å si til meg når jeg mistet motet.

«Er det?» sa Hedvig håpefullt.

«Ja», sa jeg. «Sånn er det når man skal lære seg noe. Først må man øve. Så må man hvile. Og så må man øve igjen. Og når man øver etter å ha hvilt, da har man plutselig lært en hel masse. Selv om man ikke har gjort noe som helst.»

«Er det sant?» sa Hedvig.

«Helt sant», sa jeg. «Nå syns jeg du skal gå hjem og legge deg rett ut på sofaen. På den store, gode sofaen med alle putene.»

«Du har sikkert rett i at det er lurt», sa Hedvig.

«Ja», sa jeg. «Helt rett.»

Da vi hadde dusjet og skiftet, møttes vi utenfor svømmehallen. Det var begynt å snø. Hedvig snudde ansiktet mot himmelen. Hun så heldigvis ut som seg selv igjen.

«Er det ikke fint?» sa hun.

Snøen la seg på ansiktet hennes.

«M-m», sa jeg.

Jeg holdt ut hånden og lot tre store snøfnugg legge seg på votten min.

«Har du tenkt på at snø egentlig er vann?» sa Hedvig. «Ikke så mye», sa jeg.

«Det er rart at noe som er så svart og mørkt og vanskelig, kan bli så lett og fint og vakkert.»

«Ja», sa jeg. «Jeg mener ... det har jeg ikke tenkt på før.»

«Ingen snøfnugg er like», sa Hedvig. «Og det er naturen som lager dem slik. Hvert eneste ett er helt forskjellig fra alle de andre. Har du lagt merke til det, da?»

«Nei», sa jeg. «Ikke det heller, egentlig.»

Snøkrystallene lå nesten vektløst mot votten min. Og ganske riktig: Den ene så ut som en stjerne, med seks tagger, den neste lignet et tannhjul, mens den siste minnet om en fullt utsprunget rose.

«Det er ingenting som gir meg mer julestemning enn snø», sa Hedvig.

Hun smilte til meg. «Hva får du julestemning av?»

«Jeg vet ikke», sa jeg.

Selv om jeg jo egentlig visste. Lukten av pepperkaker, granbar, kongerøkelse og kakao. Juletreet ferdig pyntet, lyden av englespillet ... Men jeg klarte ikke å forklare alt sammen for Hedvig, for da måtte jeg fortelle mer om Juni også.

«Jeg må hjem», sa jeg. «Og det må du også. For du må hvile masse. Så blir du helt sikkert kjempeflink.»

«Ja», sa Hedvig. «Men Julian?»

«M-m?»

«Kan vi gjøre noe jeg er god på i morgen?»

«Hva mener du?»

«I stedet for å svømme?»

«Ja? Ok. Hva da?»

«Gå på skøyter!» sa Hedvig og smilte med alle fregnene sine. «Har du skøyter?»

«Ja», sa jeg. «Men jeg er ikke noe god.»

«Da passer det jo perfekt! Vi møtes på banen i parken klokka tre.»

KAPITTEL II

Mens jeg gikk hjemover fra svømmehallen, tenkte jeg på julestemning. Hedvig fikk julestemning av snø. Jeg fikk det av pepperkakelukt.

Men hva er egentlig julestemning? Er det ikke rart hvordan man vet så godt hva det betyr å ha julestemning, men så er det likevel så vanskelig å beskrive følelsen? Julestemning er liksom en myk og plysjaktig følelse som prikker i tærne og får hjertet til å banke ørlite grann fortere, men ikke så fort at det blir ekkelt. Julestemning er en sånn følelse som gir deg lyst til å slå ut armene og klemme noen inntil deg. Julestemning får deg til å synge, til å le og til å få klump i halsen. Alt sammen samtidig. Hvis julestemning hadde hatt en farge, ville den vært varmgul, tror jeg. Selv om julen er rød. For julestemningen lyser nemlig opp inne i meg, akkurat som en fakkel.

Og Hedvig hadde rett: Snøen kunne virkelig gi en julestemning. Særlig den typen snø som kom akkurat nå. Ikke for tett, ikke for våt, ikke for kald og stikkende heller. Bare lette, fine krystaller som la seg på hustak og trær og gater. Dekket alt det stygge og grå. Dempet alle lyder, som om verden ble pakket inn i en myk

saueskinnsfell. Selv om snøen var kald, var det som om den likevel gjorde verden varmere, lunere og tryggere.

Jeg gikk helt rolig og bare koste meg. Jeg hadde ikke dårlig tid, for ingen ventet på meg. Og når man koser seg med noe, er det om å gjøre å få det til å vare lengst mulig. Jeg koste meg dessuten med å tenke på hva jeg skulle gjøre når jeg kom hjem. Bake pepperkaker, kanskje. Eller stikke nellikspiker i appelsiner. Eller pakke inn julegaver. Jeg hadde kjøpt inn til hele familien allerede. Pappa skulle få en kaffekopp, mamma øredobber og Augusta fotballstrømper, for hun var skikkelig god med ball, i motsetning til meg. Nå var det altså bare innpakkingen som gjenstod. Jeg var ikke så god på det. Det var så vanskelig å få hjørnene rette, og så ble det altfor mye teip. Dessuten var det nesten umulig å få båndet stramt nok. Men krøllingen på slutten, den var morsom. Jo lengre bånd, desto bedre. Det var Juni som hadde lært meg å krølle gavebåndet. Og når hun pakket inn sine pakker, sparte hun alltid båndet til meg, slik at jeg kunne krølle det også, siden hun visste at jeg likte det så godt. Sånn var Juni, sånne fine ting gjorde hun, og det var faktisk ikke vondt å tenke på det nå, bare fint. Det var som om hun var her litt, selv om hun var død.

Butikkene holdt søndagsåpent siden det nærmet seg jul. Overalt var folk på vei frem og tilbake, med poser og pakker i armene. De så travle ut, men ikke sure, og kanskje var de like glade for snøen som meg.

Jeg skulle akkurat til å runde et hjørne og gå inn i min egen gate, da jeg oppdaget noen på vei ut av postkontoret tvers over veien, og plutselig var all julestemning som knipset bort.

For det måtte være ham. Den gamle mannen. Han fra Hedvig sin hage. Nøkkelmannen. Jeg stanset og så nøye på ham. Det samme skjerfet. Den samme lua. Den samme slitte, grønne vinterfrakken. Jo. Det var helt klart ham. Selv om ansiktsuttrykket hans var annerledes. Han så ikke så sint og trist ut i dag, bare travel. Han hastet av gårde med en stor postpakke under armen, som han tydeligvis nettopp hadde hentet på postkontoret.

Egentlig var jeg på vei hjem. Og jeg hadde jo tenkt å bake pepperkaker … Men nå var mannen her igjen, og denne gangen kunne jeg ikke la ham slippe unna.

Han gikk fort, og jeg måtte skynde meg for å klare å holde følge. Jeg løp over gaten og fortsatte på samme side av veien som ham. Jeg passet på å ikke gå altfor nærme, for da kunne han jo oppdage meg, men jeg ville ikke gå for langt bak heller, for da kunne jeg miste ham av syne.

Jeg var så redd for at han skulle snu seg og oppdage meg. Men samtidig … om han så meg, spilte det jo egentlig ikke noen rolle. For han hadde aldri sett meg før, det var bare jeg som hadde sett ham. Hvis han snudde seg, fikk jeg bare se en annen vei, tenkte jeg. Og kanskje plystre, liksom tilfeldig.

Nei, forresten … ikke plystre. Det ville virke ganske mistenkelig.

Men han snudde seg heldigvis ikke. Han fortsatte bare videre, ganske fort. Kanskje skulle han rekke noe. Det var i hvert fall ingenting igjen av den nølingen jeg hadde sett i hagen til Hedvig.

Han ble borte rundt et gatehjørne, og jeg skyndte meg etter. Nå småløp jeg. For tenk om han forsvant igjen.

Men da jeg kom til det samme hjørnet, kunne jeg heldigvis se ham. Han strenet av gårde og var kommet langt nedover veien.

Det var en stille, smal og mørk bakgate. Her fantes ingen julebelysning, og dessuten var den ene gatelykten ødelagt, så den stod og blinket mens den lagde en summende lyd. Jeg skyndte meg forbi noen småbutikker, som lyste ut på snøen. Men jo lenger jeg kom ned i veien, desto stillere ble det.

Ingen biler passerte, ingen mennesker gikk forbi.

Det var bare den gamle mannen og meg. Han langet ut, gikk sikkert to skritt for hvert av mine. Jeg småløp og syntes gnissingen i boblejakka lagde altfor mye lyd.

Nå ble jeg enda engsteligere for at han skulle snu seg, for hvis han så meg, ville det liksom bli tydeligere at jeg fulgte etter ham, siden det bare var ham og meg her. Men jeg måtte ta sjansen. For han hadde noe med Hedvig å gjøre, det var noe hun ikke ville fortelle. Hun var redd for mannen, kanskje ville han skade henne. Og hvis jeg klarte å finne ut hva det var, kunne jeg hjelpe.

Han rundet enda et hjørne. Jeg løp etter ham og stanset andpusten innerst i veien. Han hadde forsvunnet inn i et trangt smug. Jeg skimtet ham ved en dør der nede. Han dro frem nøkkelknippet sitt igjen. Det samme nøkkelknippet!

Jeg kunne høre klirringen fra alle nøklene. Så fant han visst den han lette etter, for nå stakk han den i låsen. Den gikk rundt, og døren åpnet seg. Så gikk han inn, lukket døren og skrudde på lyset. Det strømmet ut på snøen fra både vinduet i døren og et stort utstillingsvindu ved siden av.

Jeg ble stående som fastfrosset der på gatehjørnet. Hva i alle dager skulle jeg gjøre?

Jeg pustet tungt noen ganger. Så tok jeg mot til meg og gikk rundt hjørnet. Butikken til den gamle mannen var den eneste i det trange smuget. Den ble nok ikke nedrent av folk, akkurat.

Utstillingsvinduet var dekket av lyse gardiner. Det var umulig å se hva som skjedde der inne. Men skiltet på døren var visst snudd. *Åpent*, stod det.

Jeg gikk helt frem og ble stående. Jeg måtte vel gå inn ... Jo, jeg måtte det. Men hva skulle jeg si? Jeg burde ha en slags plan. Kanskje jeg enkelt og greit skulle spørre om hva klokka var? Eller kanskje jeg skulle si at jeg hadde gått meg vill, og spørre ham om veien? Eller kanskje jeg skulle late som om jeg trengte å kjøpe noe, av hva det nå var han solgte. Jo, det var en nokså god plan.

I det samme hørte jeg en lyd der. Det var en slags rytme, fra en maskin, antagelig. En høy tikking, eller en dunking, nei, en blanding av tikking og dunking ... Endelig våget jeg, la hånden på dørklinken og trykket den ned.

Lyden ble høyere. Det var det første jeg merket. Det andre jeg merket, var en underlig lukt. Først klarte jeg ikke å forstå hva det var for noe. Men den minnet meg om skolen. Om skrivebøker og prøver og ... Jo, nå visste jeg hva det var. Lukten av blekk.

Det hang et forheng rett innenfor døren. Jeg skjøv det til side. Jeg kunne ikke se den gamle mannen noe sted. Men det var sannelig nok av annet å se på. Veggene var dekket med bilder. Nei, ikke bilder. Kort. Overalt var det kort. Av alle slag og i alle størrelser. Store bursdagskort, små dåpskort, enkle gratulasjonskort, jålete konfirmasjonskort. Og julekort, selvfølgelig. De vakreste julekortene jeg hadde sett. Engler og reinsdyr og julebukker og julegriser og små, lubne jesusbarn og store, smilende julenisser og juleroser og julestjerner og selveste julenissens verksted. Noen av kortene var pyntet med gull, noen med sølv, og noen var helt dekket av glitter.

Jeg stanset opp ved ett. Det var digert, som et helt tegneark, og viste et snødekt landskap med en stor stjernehimmel over. Gjennom snøen suste en slede av gårde, dratt av to store hvite hester. Menneskene i sleden satt godt innpakket i store skinnfeller. Sleden var på vei til en gammel gård, hvor det lyste varmt fra alle vinduene. Der skulle jeg vært, tenkte jeg. Det burde vært meg som satt der under skinnfellene og skulle i juleselskap på den gamle gården.

Jeg snudde meg mot et annet kort. Det viste innsiden av en instrumentbutikk. På hyllene stod kornetter og saksofoner og trompeter. Alle skinnende blanke. Midt i butikken stod et digert juletre, også det pyntet med bitte små instrumenter. Mellom hyllene og juletreet fløy masse små, tjukke engler, og alle spilte på hvert sitt instrument. De så helt levende ut, som om de kunne fly rett imot meg, og det var nesten som om jeg kunne høre musikk strømme ut fra kortet.

Jeg gikk lenger inn i rommet. Midt på gulvet stod en diger maskin. Det var den som lagde den tikkende lyden. Hvert eneste sekund kom et nytt kort ut av et hull på siden. Det var en trykkpresse. Butikken var ikke en butikk, men et trykkeri.

Men hvor var den gamle mannen, egentlig?

Jeg tok noen skritt til. Jeg hadde lyst til å stoppe og se på hvert eneste kort på veggen, men det var jo ikke derfor jeg var her.

Helt innerst oppdaget jeg et forheng. Det var ikke trukket helt for, og innenfor skimtet jeg mannen. Han satt ved et skrivebord og hadde noe i hendene. Noe av metall, noen slags bånd av jern … Eller stenger … Jeg gikk nærmere, men nå bøyde han seg vekk. Jeg hørte ham dra ut en skuff og legge det han hadde holdt i, ned i den. Så hørte jeg skrittene hans. De kom mot meg, og brått ble forhenget dratt til side.

Jeg skvatt tre skritt bakover. Og mannen skvatt tydeligvis selv, for han gjorde liksom et lite hopp.

«Jøss!» sa han.

«Ja», sa jeg. «Jøss … Jeg mener hei.»

Mannen stirret på meg. Han så enda skumlere ut på nært hold. Buskete øyenbryn og liksom sammenklemte, sinte øyne.

«Du skremte vannet av meg, gutt», sa han.

«Unnskyld», sa jeg.

Han tok et skritt mot meg. Øynene åpnet seg litt mer.

«Har du gått deg bort?»

«Nei ...»

Nå gjaldt det å si noe lurt, tenkte jeg. Han visste jo ikke hvem jeg var. For ham var jeg bare en helt tilfeldig unge som hadde dumpet innom trykkeriet hans. Jeg har aldri vært noe særlig god til å lyve. Augusta skrøner så hun tror det selv. Men det har aldri jeg fått til. Hver gang jeg lyver, blir jeg gjennomskuet med det samme. Men jeg måtte prøve likevel.

«Eller jo», sa jeg. «Kanskje litt.»

«Har du, eller har du ikke, gått deg bort?»

«Jeg har gått meg bort, men så tenkte jeg også å kjøpe noen julekort», sa jeg. «Og det har jo du mange av. Så det var flaks.»

Han fortsatte å stirre på meg, nå så han mer forbauset ut enn sint.

«Du har gått deg bort og skal kjøpe julekort?»

«Eh ... ja», sa jeg.

Jeg burde øve meg på å lyve. Dette gikk ikke noe bra i det hele tatt.

Men nå smilte mannen plutselig. Hele ansiktet liksom sprakk opp bak alt skjegget, og plutselig så han ikke det minste skummel ut lenger.

«Men jeg selger ikke julekortene her», sa han.

«Å?» sa jeg. «Hæ, men hva med ...»

Jeg pekte på kortene som dekket veggene fra gulv til tak.

«Jeg trykker dem», sa mannen, «og selger dem til butikker. Men ikke ett og ett. Og du vil vel ikke ha hundre like, kanskje?»

«Nei», sa jeg. «Jeg vil vel kanskje ikke det.»

Han la hodet litt på skakke og så på meg. Øynene glitret.

«Du kan få ett», sa han. «Velg deg hvilket du vil.»

«Kan jeg?!»

«Skynd deg, før jeg ombestemmer meg.»

«Åh», sa jeg. «Takk!»

Jeg så meg rundt. Å skulle velge ett blant så mange fine var umulig. Jeg løftet hånden mot det med sleden. Tenk at det skulle bli mitt. Jeg skulle henge det over senga og ligge og se på det når jeg sovnet, liksom drømme meg inn i det. Men så oppdaget jeg kortet med musikkbutikken. Det var kanskje enda finere, og morsommere. Det kunne jeg ha over pulten. Leksene kom sikkert til å fyke av gårde når jeg fikk det å se på. Og så var det kortet med julenissens verksted, da. De nissene var så morsomme, jeg ble skikkelig glad av dem. Og så var det ett med en julekrybbe, og ett med et torg med juletre, og ett med tre dansende reinsdyr …

Mannen lo plutselig.

«Flere du syns er litt fine?»

«Ja», sa jeg. «Alle sammen. Ikke litt fine, forresten. Kjempefine.»

«Ta to, da. Eller tre.»

Jeg begynte å like ham bedre og bedre.

«Mens du tenker deg om, vil du kanskje ha noe å drikke?» sa mannen.

«Ja, kanskje det», sa jeg. «Jeg mener, ja takk.»

«En høflig ung mann», sa mannen og smilte.

«Jeg prøver», sa jeg.

«Men du har glemt å presentere deg.»

«Å, unnskyld.»

Jeg skyndte meg å strekke frem hånden.

«Julian.»

Han tok den. Neven hans var kraftig. Hånden min forsvant nesten i den.

«Hyggelig å hilse på deg, Julian», sa han. «Henrik, heter jeg.»

KAPITTEL 13

Henrik serverte saft på et bord han hadde i hjørnet. Jeg tok mange små slurker etter hverandre, for så lenge jeg drakk, trengte jeg ikke å si noe.

Henrik så på meg.

«Hvor gammel er du?» spurte han.

«Jeg blir elleve snart.»

«Elleve alt? Du er lav for alderen.»

«Litt lav, ja.»

«Jeg kjente en gutt som lignet på deg en gang», sa han.

«Å?»

«Er du dårlig i fotball?»

«Ja.»

«Det var han òg. Vet du hva han gjorde når de andre var ute og spilte i friminuttene?»

«Nei?»

«Han satt inne og tegnet.»

«Å.»

«Han tegnet seg gjennom hele barneskolen. Og ungdomsskolen også. Til slutt så lagde han seg en jobb ut av det.»

Han slo ut med armen mot alle kortene som hang rundt oss, og plutselig skjønte jeg.

«Den gutten var deg!»

«Det har du rett i, gitt.»

«Så du har tegnet dem også, ikke bare trykket dem.»

«Hvert eneste ett.»

«Jeg kan ikke tegne», sa jeg. «Men jeg kan svømme. Og jeg har en venn som også svømmer.»

«Har du mange venner?»

«Nei. Bare han ene.»

Jeg tok meg i det. For jeg hadde jo Hedvig også nå. Dessuten visste jeg ikke helt om John og jeg var venner lenger. Det hadde ikke føltes helt sånn i det siste.

«Jeg mener at jeg tror jeg har to», sa jeg likevel. «Jeg har to venner.»

«To gode venner er bedre enn hundre dårlige», sa Henrik.

Han skjenket oppi glasset mitt, som var blitt tomt.

«Likte du safta?»

«Ja», sa jeg.

«Bare drikk, jeg har mer.»

Han smilte igjen, og jeg kjente at jeg likte ham skikkelig godt.

«Hvordan virker den?» spurte jeg og pekte på trykkpressen.

«Denne gamle saken?» Han reiste seg og la en hånd på den. «Jeg kaller den for Martha. Alle maskinene her inne har navn.»

«Å? Hvorfor det?»

«Alle maskiner med respekt for seg selv bør hete noe.»

«De bør kanskje det.»

«Kom hit», sa Henrik, «så skal jeg lære deg hvordan man gjør det.»

Han tok frem tuber med farge og smurte på de store rullene av metall.

«Én og én farge om gangen», sa han.

Så trykket han på en stor rød knapp, og kortene kom ut. Først bare med rødt. Så smurte han på blått. Den blå fargen blandet seg med den røde og ble lilla. Til sist brukte han gult, som lagde alle slags typer av både oransje og grønt når fargen blandet seg med rødt og blått. Jeg klarte ikke å ta øynene fra maskinen som jobbet, og kortene som kom ut, finere for hver ny farge som ble lagt til.

Tiden gikk mens vi holdt på. Jeg ble varm i kinnene, glemte hvorfor jeg var her. Det var så mange knapper som måtte trykkes på, og spaker som måtte dras i, og ting man måtte være forsiktig med, at jeg ikke rakk å tenke på noe annet.

Til slutt var kortene ferdigtrykket. Det var en hel bunke av dem. Fire og fire på hvert ark.

«Nå må vi dele dem», sa Henrik.

Han tok meg med bort til en annen maskin.

«Hun her kaller jeg for Klara.»

«Hvorfor det?» sa jeg.

«Syns du ikke hun ser ut som en Klara?»

«Jo», lo jeg.

Sammen la vi bunken med kort på et brett av metall, og så viste Henrik meg hvordan man skulle dra ned en diger spak sånn at en kniv skar gjennom arkene slik at de ble delt i to. Så gjorde vi det samme en gang til, og da ble det fire kort av hvert ark.

«Vær så god.»

Han ga meg et av dem. «Du kan få det i tillegg, som takk for innsatsen.»

«Takk», sa jeg.

Han smilte til meg. «Skal vi ta en bunke til?»

«Ja», sa jeg.

Men så kom jeg på Villa Kvisten. Og Hedvig. Det var jo derfor jeg var her. Og nå som Henrik og jeg var blitt så gode venner, nå som vi hadde drukket saft sammen og trykket kort sammen, da kunne det vel ikke være så farlig å spørre?

«Det var noe jeg ville si», sa jeg. «Noe jeg lurte på. Jeg har sett deg før … før i dag, altså.»

«Å?»

«Utenfor …» Jeg tok mot til meg. «Utenfor Villa Kvisten.»

«Hva?»

Henrik rynket brynene.

«Jeg har sett deg stå utenfor Villa Kvisten», sa jeg.

«Så det har du.»

Han snudde seg vekk fra meg og begynte å koste papirrester fra gulvet under Klara.

«Henrik?» sa jeg. «Skulle ikke vi lage en bunke til?»

Han dro opp ermet på skjorten sin for å sjekke klokka, men det så ikke ut som om han egentlig så på den.

«Den er mye», sa han. «Jeg har en diger bestilling som skal ut i morgen tidlig. Jeg er nødt til å sette opp farten.»

«Men …» Jeg tok mot til meg. «Hva gjorde du der ved Villa Kvisten? Du hadde jo nøkkel, men så gikk du ikke inn?»

Plutselig stirret han på meg igjen, og nå var blikket det samme underlige som da jeg så ham første gang. Var han sint eller trist, eller begge deler?

«Hold deg unna det huset», sa han.

Kosten og feiebrettet i hendene hans skalv.

«Men hvorfor …»

«Bare hold deg unna.»

«Men …»

«Og nå må du gå. For jeg må jobbe.»

Jeg skyndte meg hjem og rakk akkurat middag. Jeg hadde fremdeles ikke sagt noe til mamma og pappa om verken Hedvig eller Villa Kvisten. Så derfor sa jeg ikke noe om Henrik og trykkeriet heller. Tidligere ville de kanskje ha merket at jeg var veldig stille og rar, men ikke nå for tiden. Jeg la meg som vanlig den kvelden, og gikk på skolen som vanlig neste dag. Men hele tiden tenkte jeg på Henrik. Hvorfor var han blitt så sint? Hva var det med Villa Kvisten?

Jeg fikk ikke med meg noe særlig på skolen, men det var ikke så farlig, for det var nest siste dag, og vi lærte uansett ingenting. Jeg tenkte bare på Henrik. Og på Hedvig. Og på Villa Kvisten, ikke minst. Etterpå skyndte jeg meg hjem, kastet i meg en brødskive, og så slengte jeg skøytene mine i en bag. Jeg måtte spørre henne om alt sammen, jeg måtte faktisk det.

KAPITTEL 14

Hver vinter ble det lagd skøytebane på den lille plaskedammen i byparken, og det var der Hedvig og jeg hadde avtalt å møte hverandre. Det skumret da jeg kom dit, lyset var blått, og store, gule gatelys ble tent langs kanten av banen. Den så ut som en gul, rund planet midt i alt det blå.

Jeg så Hedvig lenge før hun så meg. Hun hadde hele banen for seg selv. Jeg kunne høre hvordan skøytene svisjet når hun suste fra den ene enden til den andre. Hun var helt stødig og beveget seg uten at det så ut som hun brukte krefter i det hele tatt. Hun tok sats og hoppet over isen. Så landet hun like trygt på beina. Der tok hun to skøytetak til, før hun begynte å snurre i en piruett.

Rundt og rundt, uten å bli svimmel.

Rundt og rundt, en fregnete snurrebass i rød kåpe.

Så oppdaget hun meg og lyste opp.

«Julian!»

Hun skled bortover og bråstanset rett foran meg.

«Har du med skøyter?» sa hun.

«Ja», sa jeg. «Men jeg er ikke så flink som deg, akkurat.»

«Du er god til å svømme, da.»

Jeg satte meg på en benk og snørte på meg skøytene mine. Det var et par svarte hockeyskøyter som mamma hadde kjøpt på loppemarked. De var litt vide, samtidig som de klemte mot tærne. Jeg hadde egentlig aldri likt skøyter noe særlig.

Hedvig tok hånden min og dro meg ut på isen.

«Kom igjen. Du faller ikke.»

Jeg var stiv som en stokk. For hver eneste lille hump i isen ble jeg reddere for å falle.

«Du må slappe av», sa Hedvig. «Du må stole på meg.»

«Ja», sa jeg.

Og jeg prøvde virkelig.

Langsomt ble det lettere. For jeg kjente jo at hun passet på. Hver gang jeg kom ut av balanse, tok hun ekstra godt tak i meg.

«Du klarer det!» sa Hedvig.

Etterpå satte vi oss på benken. Jeg kikket bort på Hedvig. Hun var rød i kinnene, øynene lo. Men selv om hun var så glad, og selv om jeg visste at det antagelig kom til å ødelegge den fine stunden, klarte jeg rett og slett ikke å la være å spørre om Henrik.

«Jeg har sett Nøkkelmannen», sa jeg. «Enda en gang.»

«Nøkkelmannen?»

«Han som var utenfor huset ditt.»

Hedvig vendte seg bort fra meg. Hun stirret ned på skøytetuppene sine. Dunket den ene litt i bakken.

«Skal vi stå mer?» sa hun. «Eller må du kanskje hjem snart?»

«Jeg har funnet ut at han heter Henrik», sa jeg.

Da skvatt hun.

«Henrik …» mumlet hun.

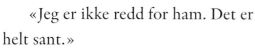

«Jeg syns du skal si hvem han er. Hvorfor du er redd for ham.»

Hun fortsatte å stirre på skøytene sine. Først klarte hun visst ikke å svare, men så snudde hun seg endelig mot meg.

«Jeg er ikke redd for ham. Det er helt sant.»

«Nei? Men hva er det da?»

«Jeg kan ikke snakke om det ennå», sa hun lavt. «Men jeg håper vi kan være venner likevel.»

«Vi er jo venner uansett, men jeg skjønner bare ikke hvorfor du ikke kan snakke om det?»

«Det er ikke alt du vil fortelle meg om heller», sa Hedvig.

«Det er det vel», sa jeg. «Jeg har ingen hemmeligheter.»

«Du har nesten ikke sagt noen ting om søsteren din, for eksempel. Men jeg maser jo ikke likevel. Det er bare ikke alt man kan fortelle hverandre sånn helt med det samme.»

Plutselig fikk jeg klump i halsen. Hun hadde helt rett. Hedvig var grei som ikke maste om Juni.

«Jeg kan vente til du er klar», sa Hedvig. «Men jeg vil veldig gjerne høre om henne. Når du er klar.»

Jeg trakk pusten.

«Hvis jeg er klar, da?»

«Nå?»

«Ja, nå.»

«Da har jeg all tid i verden til å høre på deg.»

På skolen var det flere av lærerne som spurte meg om jeg ville snakke om det som hadde skjedd. Men hver gang jeg prøvde, ble jeg stum. Det kjentes ikke som om det var viktig å fortelle. Eller riktig. Dessuten visste alle der hvem Juni var, og det gjorde det ekstra vanskelig, tror jeg.

Hedvig hadde aldri truffet Juni. Hun hadde aldri truffet familien min. Og for noen få dager siden hadde hun aldri truffet meg heller. Men likevel, eller kanskje derfor, var det ingen andre jeg kunne tenke meg å fortelle alt til enn henne.

Plutselig var det som om ordene liksom stablet seg opp inne i meg, som om de måtte ut.

Og så fortalte jeg Hedvig om Juni, om søsteren min. Juni, som hadde vært den gladeste jeg kjente. Søsteren min som lo høyere enn noen andre, som alltid var morsom og litt vill. Som vokste kjempefort, som snart var like lang som pappa. Høy og mørk og bråkete. Som lot meg sove inntil henne om natten når jeg hadde hatt mareritt. Og rusket meg i håret og sa at ingenting vondt kunne skje.

Men noe vondt *hadde* skjedd, og jeg forstod ikke hvordan. Juni var plutselig blitt stillere. Hun lo ikke lenger så ofte. Hun sluttet å bråke. Hun sluttet å være morsom, og når jeg krøp oppi senga hennes om natten, vred hun seg vekk og ba meg om å gå.

«Var hun syk?» spurte Hedvig.

«Nei …» sa jeg. «Det var ikke en sånn vanlig sykdom, som influensa eller noe. Det var en slags tristhet.»

Jeg fortalte videre. Juni klarte ikke å gå på skolen lenger, men ble liggende hjemme. Mamma og pappa ble også stillere og stillere. For ingen visste hva de skulle gjøre. Og Juni, som hele tiden hadde vokst så fort, begynte på en måte å krympe. Hun lå der i senga si og ble tynnere og tynnere, for hun var så trist at hun ikke orket å spise.

Alt dette fortalte jeg til Hedvig. Men så måtte jeg ta en pause. For nå kom det fæleste av alt.

Hedvig tok hånden min. Jeg tror hun så hvor vondt det var. Men godt også. For jeg hadde aldri fortalt noen om dette før, om sommeren da Juni døde.

«Til slutt var hun så tynn at hun ble lagt inn på sykehus.»

«Men det var vel bra? Da fikk hun jo hjelp?»

Hedvig klemte hånden min. Jeg måtte trekke pusten fort et par ganger før jeg fortsatte.

«Nei, for på sykehuset ble hun bare enda dårligere», sa jeg. «Hun fikk lungebetennelse. Og hun var jo så tynn allerede.»

«Og så, da?» hvisket Hedvig.

«Så døde hun bare. Det skulle ikke skje. Sykehuset sa at sånt ikke skjer. Mamma og pappa sa at sånt ikke skjer. Men det skjedde likevel. Juni, storesøsteren min, døde. »

Jeg kjente at det rant noe varmt nedover kinnene mine, og snudde meg vekk så Hedvig ikke skulle se det. Men hun slapp hånden min og slo i stedet begge armene rundt meg.

«Å, Julian!» sa hun bare.

Hun trykket kinnet sitt mot mitt, og jeg kunne kjenne at tårene hennes blandet seg med mine.

Vi satt bare sånn helt stille en god stund.

Så slapp vi hverandre. Hun tok av seg votten, tørket kinnene sine. Og mine, også. Hånden hennes var varm.

«Tårer er også vann», sa hun. «Og vann kan bli til snø.»

Jeg vet ikke om det var meningen at det skulle trøste meg, men det var i hvert fall fint sagt.

«Hvordan er det nå, da?» sa Hedvig.

«Nå?» sa jeg.

«Hvordan går det hjemme hos deg?»

«... Alt er bare så stille hele tiden. Og det virker ikke som om mamma og pappa har tenkt at vi skal feire jul. Jeg tror de har glemt hvordan man gjør det.»

«Men det må dere jo», sa Hedvig. «Jul må man feire!»

«Jeg vet ikke», sa jeg.

«Du sa at Juni pleide å være så glad», sa Hedvig.

«Ja. Før hun ble trist. Hun var den gladeste jeg kjente. Men det har de visst også glemt.»

Hedvig tok hånden min og klemte den litt.

«Da er det bra de har deg, Julian.»

«Hva mener du?»

«Du kan vise dem det. Du kan få dem til å huske den glade Juni.»

KAPITTEL 15

Jeg skyndte meg hjemover. Hedvig hadde helt rett. Mamma og pappa hadde glemt alt som var fint med Juni. Hvordan hun lo, hvor mye morsomt hun sa, hvordan stemmen hennes steg og sank når hun pratet, hvor mye rart hun fant på. Kanskje ville det faktisk hjelpe dem å huske alle de gode tingene, ikke bare de triste.

Det eneste bildet mamma og pappa hadde stående fremme av Juni, var et gammelt skolebilde hvor hun så både sjenert og alvorlig ut. Men jeg visste at det fantes mange flere hjemme hos oss.

Jeg kom hjem før dem og begynte med det samme å lete. Jeg trakk ut kommode-skuffer, åpnet dører i gamle skap og lette nederst i den store rotekista i stua. Til slutt fant jeg fotoalbumene våre i mammas arbeidsbord. Jeg dro dem frem og begynte å bla. Det spredte seg en god varme i magen. Vi hadde gjort så mye bra sammen, vi fem i familien. Særlig vi barna. Jeg husket hvordan det kjentes å løpe gjennom vannsprederen i gresset om sommeren. Å sitte sammen i bilen alle tre med hver vår store is som dryppet ned på fanget. Å suse nedover skibakkene om vinteren mens vi konkurrerte om å komme først. Å ligge på skogens bunn inne

i hytta vi bygde sammen en vårdag vi var i skogen, og se opp på sola som skinte gjennom greinene.

Juni var den som løp først gjennom vannsprederen, som lurte mamma og pappa til å kjøpe is, som fant på at vi skulle bygge hytte og bandt fast den største og tyngste greinen mellom trærne.

Jeg stanset til slutt ved et stort bilde av søsteren min. Hun hadde på seg en gul sommerkjole og lo mot den som tok bildet. Det var nesten så jeg kunne høre latteren komme ut av bildet. Den trillet. Hvite trillende latterperler.

Forsiktig løsnet jeg bildet fra albumet. Så tok jeg det med ut og hengte det på kjøleskapet. I det samme gikk inngangsdøren opp. Det var mamma og Augusta.

Jeg hørte dem holde på i gangen. Augusta sutret. Hun var sliten og trøtt etter barnehagen. Hun ville ikke kle av seg selv. Tidligere, da hun var Dynamitten, ville hun ha skreket, helt til mamma ikke orket mer og gjorde det for henne. Men nå bare klagde hun lavt, og så ga hun seg, og kledde likevel av seg selv, helt stille.

Så gikk hun ut i stua til dukkene sine. Der satte hun seg og lekte, uten en lyd.

Mamma kom inn til meg på kjøkkenet. Hun rusket meg i håret, slik hun pleide. Sa hei, slik hun pleide. Spurte hvordan dagen hadde vært, slik hun pleide.

Så bråstanset hun foran kjøleskapet. Langsomt hevet hun hånden og pekte på bildet av Juni.

«Hvor kommer dette fra?» spurte hun uten å se på meg.

«Albumet», sa jeg.

«Og hvorfor har du hengt det her?»

I det samme kom Augusta inn. Hun oppdaget bildet i hånden til mamma.

«Juni!» sa hun.

Og så smilte hun til bildet. For Juni på bildet var så glad at man liksom måtte smile tilbake.

Men det så tydeligvis ikke mamma. For nå snudde hun seg mot meg og sa, veldig lavt og veldig alvorlig:

«Jeg vil ikke at du skal fjerne noe fra albumene, Julian.»

«Det er ikke *noe*», sa jeg. «Det er Juni.»

Mamma snudde seg mot Augusta.

«Gå ut i stua igjen, du. Jeg må snakke litt med Julian.»

«Men ...» sa Augusta.

«Nå med en gang», sa mamma.

Og Augusta pilte av gårde, tilbake til dukkekroken sin, hvor hun satte seg stille ned for å leke igjen.

«Skal vi sette oss litt?» sa mamma og pekte på kjøkkenbordet.

Hun sa det som om det var et spørsmål, men jeg skjønte at jeg ikke hadde noe valg.

«Kjære Julian», sa mamma, «jeg forstår at du gjerne vil at ting skal være som før.»

«Ja», sa jeg.

«Men det kommer de ikke til å bli», sa mamma.

«Jeg vet det», sa jeg.

«Og Juni kommer ikke tilbake, selv om vi henger opp bilder av henne», sa mamma.

«Nei», sa jeg. «Men det var ikke derfor jeg ...»

«Og jeg tror ikke ting blir enklere av at vi går rundt og har ansiktet hennes hengende overalt. Eller at vi går på graven hennes hele tiden.»

«Det var ikke overalt», sa jeg. «Det var bare på kjøleskapet. Dessuten er vi aldri på graven i det hele tatt.»

«Vi må bare vente», sa mamma. «Så vil det nok bli bedre etter hvert … Det er i hvert fall det de sier.»

Den siste tingen sa hun liksom mest til seg selv, uten å se på meg.

«Ja», sa jeg. «Men kan vi ikke bare ha det ene bildet, i hvert fall?»

«Det kommer til å ta tid», sa mamma.

«Bare ett bilde?»

«Vi må være tålmodige, Julian.»

Så reiste hun seg, bøyde seg over meg og ga meg en klem. Men det var en rar klem, ikke en ordentlig mammaklem, mer som en kopi av en klem.

Juni lå fremdeles på bordet og smilte mot oss, men nå tok mamma bildet med seg inn i stua igjen. Jeg så henne i dørsprekken, hun satte bildet tilbake i albumet, der det hadde vært. Så la hun albumet tilbake i arbeidsbordet sitt og lukket skuffen.

Jeg ble sittende. Jeg klarte ikke å si noe. Igjen kjente jeg de dumme tårene presse seg på. Hele resten av dagen lå de liksom og trykket i brystet. Jeg klarte ikke å si noe da vi spiste middag, og ikke etterpå heller. Jeg klarte nesten ikke å få ned maten. Men det var det visst ingen som merket, for alle var bare stille som vanlig.

Til slutt gikk jeg opp på rommet mitt. Jeg ble stående midt på gulvet og svelge og svelge. Jeg ville så veldig gjerne at klumpen skulle bli borte.

Men den ble ikke borte. For det kom til å ta tid, sånn som mamma hadde sagt.

Dumme Hedvig, tenkte jeg plutselig. Hun var alltid glad. Hun trodde at allting var så enkelt. Og det var det jo for henne, som bodde i det store, koselige huset hvor det allerede var jul i alle rom, og alle sikkert bare var kjempeglade og lo hele tiden.

Men hun tok feil, tenkte jeg. Hun skjønte ingenting av hvordan det var hjemme hos oss. Ingenting.

Jo mer jeg tenkte på det, jo sintere ble jeg. Og klumpen i halsen ble ikke et fnugg mindre. For det var tre dager igjen til jul. Bare tre dager. Og ingenting kom til å ordne seg hjemme hos oss. Det kom faktisk ikke til å bli ordentlig jul i det hele tatt.

KAPITTEL 16

Jeg var sint på skolen neste dag, som var siste dag før juleferien og liksom skulle være hyggedag med godteri og kos. Jeg koste meg ikke.

Jeg var sint da jeg gikk fra skolen også, og det hjalp ikke da jeg så at John ventet på meg ved porten.

«Hei», sa han.

«Hei», sa jeg.

«Da er det ferie», sa han.

«Ja», sa jeg.

Vi gikk noen meter. Han kikket på meg.

«Mye snø», sa han.

«Ja», sa jeg.

«Jeg har ikke sett så mye snø før.»

«Nei vel», sa jeg.

Og så sa han ikke noe mer. Jeg svarte ikke heller. Alt var med andre ord som det pleide mellom oss. Jeg gikk fort videre. Jeg ville hjem … nei. For der var det heller ikke noe hyggelig.

«Forresten så syns jeg det er teit å snakke om været», sa jeg.

«Hæ?» sa John.

«Det er bare voksne som snakker om været hele tiden», sa jeg.

«Det er kanskje det», sa John.

«Jeg gidder ikke å snakke om været mer», sa jeg.

«Nei vel», sa John. «Vi får snakke om noe annet, da.»

«Ja», sa jeg.

Men ingen av oss sa et ord til. Og det var like greit. For det var bare kjedelig å snakke med John. Kjedelig å snakke med alle, i grunnen.

Jeg gikk enda fortere, John slet med å holde følge. Jeg kikket på ham i smug. Beina hans var to tynne pinner som stakk opp fra digre vintersko. Føttene var visst det eneste som vokste på John. Han hadde et stort skjerf som dekket halve ansiktet, og den andre halvparten var skjult av lua. Mellom der var det en smal stripe ansikt. Det er ikke mye du trenger å se av et menneske for å forstå hvordan han har det, når du kjenner ham veldig godt. Og jeg så godt hvordan John hadde det. Han var trist. Skikkelig, ordentlig trist.

Men det brydde vel ikke jeg meg noe om.

Vi kom til krysset hvor vi pleide å si ha det til hverandre, og jeg begynte å gå i min retning. Jeg gadd ikke å si ha det. Gadd ikke enda mer dum snakking om ingenting.

«Vent litt», sa John.

Jeg snudde meg.

«Hva er det?»

Han satte fra seg sekken, åpnet den og tok noe ut. En gave.

«Vær så god, da», sa han og rakte den mot meg.

Jeg tok imot.

«. . . Takk», sa jeg.

Jeg hadde ikke noen gave til ham. Vi pleide alltid å gi hverandre et eller annet, men i år hadde jeg rett og slett glemt det. Jeg burde kanskje si noe om det, finne på en unnskyldning. Men hvorfor skulle jeg det? For det var jo ikke akkurat sånn at vi hadde avtalt å gi hverandre gave heller. Det var vel ikke min skyld at han ga meg gave?

«God jul», sa John.

Jeg kjente at jeg ble varm i kinnene.

«Nei», sa jeg.

«Hæ?»

«Det blir ikke noen god jul», sa jeg og stakk gaven i sekken.

«Å», sa han. «Nei vel.»

«Jeg må hjem», sa jeg.

«Ja … Ok … Ha det», sa han.

Og så gikk han med de tynne pinnebeina sine og de digre skoene. Kroppen hans forsvant nesten bak skolesekken, og jeg så ikke hodet, for han trakk det liksom sammen mellom skuldrene.

Det sved i halsen. Det brant.

Jeg snudde meg og gikk nedover i min retning. Idiotiske John, tenkte jeg, som bare vil snakke om været. Idiotiske John, som ikke forstod noen ting. Jeg satte opp farten, gikk det forteste jeg kunne, for kanskje kunne jeg liksom gå det av meg, tenkte jeg. Men det hjalp ikke noe særlig. For det sved så forferdelig fælt i halsen at jeg trodde jeg skulle bli kvalt. Jeg var så sint, på John, og på mamma, på pappa … og til og med på Juni, som bare plutselig døde.

Hvorfor måtte hun dø, da? Hvorfor i huleste måtte du bare dø, Juni?!

Jeg rundet hushjørnet og gikk rett på noen.

«Au!»

«Hei!»

Det var Hedvig. Jeg hadde kræsjet i henne. Hun tok seg til pannen, det gjorde visst vondt. Men så smilte hun. Hun skulle alltid smile det dumme smilet sitt.

«Er det deg», sa jeg.

«Julian», sa Hedvig. «Jeg så etter deg! Og så fant jeg deg.»

«Du gjorde visst det», sa jeg og la hånden på min egen panne, for den gjorde også vondt.

«Jeg har tenkt så mye på deg!» sa Hedvig. «Helt siden i går. Hvordan gikk det hjemme, hvordan gikk det med foreldrene dine, fikk du snakket med dem om Juni? Og jeg har tenkt sånn på dere, og på henne, jeg skulle ønske jeg kunne ha truffet henne, hun høres så morsom ut, og snill, for en fin storesøster, så heldig du var, og så forferdelig trist det er at hun er borte!»

Hun snakket og snakket, sånn som hun pleide. Jeg begynte å gå. Tidligere hadde jeg likt denne snakkingen, likt hvordan hun lyste mens ordene liksom danset ut av henne. Men nå var det annerledes.

«Du spør mye», sa jeg.

Hun så forbauset på meg.

«Du bare spør og spør», sa jeg. «Men du vil jo aldri høre svarene.»

Da stanset hun.

«Det pleide broren min også å si», sa hun lavt.

«Pleide? Han er vel smart, da, han broren din», sa jeg.

«Unnskyld», sa Hedvig. «Men jeg lurer virkelig veldig på alt sammen. Det er bare så mange spørsmål inne i meg, så jeg klarer ikke å vente på hvert svar, forstår du hva jeg mener, de ligger liksom på en lang rad og bare presser seg ut, og jeg klarer ikke å holde meg, har du det aldri sånn, Julian, at det er så mye inne i deg som vil ut og . . . »

«Nå gjør du det igjen», sa jeg.

«Å.» Hun slo hendene for munnen. «Unnskyld, unnskyld.»

«Du vil vite alt om meg», sa jeg. «Men du forteller jo ingenting om deg selv.»

«Men jeg prøver. Jeg prøver virkelig. Det er bare ikke så enkelt.»

Hun så på meg med store, helt ærlige øyne. Og plutselig var det jeg som hadde en masse spørsmål.

«Så vanskelig kan det vel ikke være? Vi kan ta det spørsmål for spørsmål. Jeg lurer nemlig på en hel haug med ting. For eksempel hvordan du kjenner Henrik? Og hvorfor han står utenfor Villa Kvisten? Og hvorfor jeg ennå ikke har truffet familien din? Og hva det er med gyngestolen? Hva det er for noe underlig med huset ditt?»

Jeg trakk pusten. Så kom jeg plutselig til å tenke på det hun akkurat hadde sagt.

«Og hva mente du egentlig med at broren din pleide å si at du bare spør og spør, men aldri vil høre svarene?»

«Hva mener du?» sa hun.

«Du sa *pleide*. At han *pleide* å si det. Hvorfor sa du det? Hvorfor ikke *pleier*, for du gjør det jo hele tiden? Hva er det, liksom – er han død eller noe?»

Hedvig strakte hendene frem mot meg, men jeg tok dem ikke.

«Å, Julian», sa hun lavt.

«Ja», sa jeg. «Nå vil jeg at du svarer. Nå er det din tur til å fortelle.»

«Men det kan jeg ikke», sa hun.

Hun stirret ned, turte visst ikke å se på meg engang.

«Da vil jeg ikke være vennen din lenger», sa jeg.

«Hva?» sa hun.

«Jeg vil ikke være vennen din. Jeg trenger ikke venner. Og i hvert fall ikke en som ikke er ærlig engang!»

«Julian. Nei.»

«Jo», sa jeg.

Jeg skulle til å gå. Men da tok hun tak i armen min.

«Du kan ikke det», sa hun. «For det er bare du som ...»

«Jeg kan akkurat det jeg vil», sa jeg.

Og så gikk jeg.

Med sinte, lange skritt.

En, to, tre skritt.

Fire, fem, seks.

Men plutselig var de ikke så lange lenger.

Sju, åtte, ni.

Eller så sinte.

Ti, elleve, tolv.

Og plutselig angret jeg.

Hun stod sikkert der og så etter meg. Stakkars Hedvig. Jeg hadde ikke trengt å være så sint. Eller streng. Hun hadde sikkert en haug med grunner til å ikke fortelle meg alt sammen med det samme. Vi hadde jo ikke vært venner mer enn noen få dager.

... Tretten ... fjorten ... femten ... Hun stod sikkert igjen der på fortauet og gråt.

Jeg snudde meg.

Men hun var ikke der.

Og snøen var allerede i ferd med å tette sporene etter henne.

Jeg ble gående rundt i gatene lenge, til jeg var frossen på føttene. Nei, ikke bare på føttene, men frossen i hele meg. Det var liksom en hånd som klemte rundt hjertet mitt. Jo lenger jeg gikk rundt sånn, desto verre ble det. For jeg hadde ikke vært noe snill. Nei, jeg hadde ikke det. Verken mot John eller Hedvig.

Først var jeg litt tom i hodet. Men endelig klarte jeg å tenke en lur tanke. Jeg burde kjøpe en julegave til John. En skikkelig fin gave. For resten av sparepengene mine.

Så tenkte jeg en lur tanke til. Og det var at jeg burde be Hedvig om unnskyldning. Ja, det burde jeg. Nå med det samme. Selv om det betydde at jeg kom for sent til middag.

Med det samme jeg hadde tenkt den tanken, slapp ishånden rundt hjertet litt taket.

Jeg småløp hele veien til Villa Kvisten.

Jeg håpet hun skulle være ute i hagen, sånn at jeg kunne si unnskyld med det samme. Men da jeg kom til huset, var det helt mørkt. Ikke et eneste lys i noen av vinduene.

Hagen var ikke måkt heller, selv om det hadde snødd masse siden søndag. Jeg vasset i snø hele veien til inngangsdøren.

Så rart, det hadde jo vært måkt forrige gang jeg var her …

Og det merkeligste av alt: Snøsøsteren var forsvunnet. Der den hadde stått, lå snøen glatt og uten spor. Hadde Hedvig ødelagt den fordi hun var sint på meg?

Jeg banket på hardt og lenge, men ingen svarte.

Så gikk jeg ned fra trappen og stirret opp mot huset. Kanskje satt hun der inne i mørket og kikket ut på meg. Kanskje var hun sint, og at det var derfor hun ikke ville åpne.

«Hedvig», sa jeg lavt.

Men ingenting skjedde.

«Hedvig», sa jeg igjen, litt høyere nå. «Unnskyld!»

Heller ikke nå skjedde det noe.

«Hedvig?!»

… Nei.

Hva skulle jeg gjøre nå?

Jeg ble stående og se på huset. Nå la jeg plutselig merke til noe jeg aldri hadde sett før. Den hvite malingen skallet av veggene og hang i store, løse flak … Og den ene vindusruten i første etasje var knust. Det måtte ha skjedd siden jeg var her sist. En gardin hang og slang der inne, så jeg. I det lilla rommet, var det ikke? Men så slitt gardinen var, så gammel og ødelagt.

Hjertet mitt begynte å hamre. Det var noe som ikke stemte her. Noe som ikke stemte i det hele tatt. Det var noe galt med Villa Kvisten. Kanskje dette var et annet hus, kanskje jeg hadde gått feil? Men jeg visste at jeg var på riktig sted. Fjordveien 2, adressen var den samme som alltid.

Og hvor var Hedvig?

Før jeg fikk tenkt meg om, var jeg borte ved det knuste vinduet. Jeg stakk fingrene inn og fant vindushaspen. Hånden min skalv da jeg åpnet vinduet.

Hele meg skalv da jeg krøp inn.

Først ble jeg bare stående på gulvet. Hjertet dunket i ørene. Det første jeg la merke til, var hvor kaldt det var. Frostrøyken stod fra munnen min. Langsomt vente øynene mine seg til halvmørket i rommet, og da jeg fikk se hvordan det så ut, brast jeg i et lite skrik.

For alt var annerledes. Det grønne tapetet hang i laser på veggene. Den myke sofaen hadde et hvitt trekk over seg, og gulvet var dekket av støv.

Jeg lukket øynene. Det kunne ikke stemme. Hvor var de koselige rommene? Det var jo bare to dager siden jeg hadde vært her sist. Hva i alle dager hadde skjedd?

Langsomt åpnet jeg øynene igjen.

Jo, det stemte. Støvet lå tjukt overalt. I en krok skimtet jeg muselort.

Jeg skyndte meg ut i gangen og inn i biblioteket. Det stod ingen bøker i hyllene lenger, de var tomme. Og møblene hadde noen stablet i en krok. Bare gyngestolen stod igjen på gulvet, på den faste plassen sin. Men den var ikke hvit

og blank lenger, men full av hakk og merker, og grå av støv. Den var slik jeg hadde sett den da Hedvig og jeg lekte gjemsel, og jeg trodde lyset lurte meg.

Det stemte bare ikke. Jeg måtte drømme, snart ville jeg våkne. Snart.

Jeg gikk ut i gangen og åpnet døren til kjøkkenet. Det fine, blå rommet hvor vi hadde kost oss sånn med kakao, var nesten tomt. Kjøleskapet hadde store rustflekker, og det hang spindelvev oppunder taket.

Jeg hørte noen puste, fort og redd, og jeg skjønte plutselig at lyden kom fra meg selv.

Så hørte jeg noe annet. En nøkkel i utgangsdøren.

Den gikk rundt, døren knirket.

Noen var på vei inn.

Jeg skimtet en skygge over gulvet i gangen utenfor kjøkkenet og skyndte meg i skjul bak døren. En stor skygge, den tilhørte en mann. Han gikk med tunge steg over gulvet.

Skrittene nærmet seg. Jeg forsøkte å stå så stille jeg bare kunne. Ikke røre en muskel, ikke engang puste.

Så gikk skyggen der ute forbi. Jeg pustet ut av lettelse. Han kom ikke inn på kjøkkenet.

Jeg så meg rundt. Jeg måtte finne et annet sted å gjemme meg. For hvis han kom tilbake og begynte å se seg rundt her inne, ville han oppdage meg med det samme.

Under kjøkkenbenken, der kunne jeg kanskje få plass. Jeg listet meg bort dit, åpnet en skapdør så stille jeg klarte, og satte meg inn.

Det luktet så muggent i skapet at jeg ble kvalm. Jeg måtte krøke meg sammen, bøye både nakken og knærne, men selv om jeg gjorde meg så liten jeg klarte, ble jeg ikke liten nok. Jeg som alltid hadde ønsket at jeg hadde vært litt høyere, var visst plutselig altfor diger, og jeg klarte ikke å få igjen døren. Uansett hvordan jeg krøllet armene og beina sammen, var de for lange og kroppen min for stor.

Og nå hørte jeg skrittene igjen. Mannen var på vei tilbake, og denne gangen kom han *inn* på kjøkkenet.

Jeg forsøkte å holde skapdøren helt inntil. Men det var ingenting å holde i, for håndtaket var jo på utsiden, og på innsiden var den helt glatt. Så glatt at jeg plutselig glapp taket.

Skapdøren åpnet seg langsomt, med et ørlite knirk. Og der ute på gulvet stod mannen.

Jeg lukket øynene. Nå ble jeg oppdaget, nå …

«Julian?»

Det var en kjent stemme, en veldig kjent stemme.

Jeg åpnet øynene og stirret opp på Henrik.

Først ble han visst bare forbauset over å se meg, men så vokste liksom sinnet inne i ham, for øynene ble smalere og stemmen dypere.

«Jeg sa at du ikke skulle gå hit. At du ikke hadde noe her å gjøre.»

«Ja», sa jeg. «Unnskyld.»

Jeg krøp ut av skapet og ble stående foran ham. Jeg stirret på gulvplankene. Det føltes tryggest sånn.

«Nå forteller du meg hva du gjør her», sa Henrik. «Dette er mitt hus, og jeg vil ikke at noen skal komme hit.»

«Ditt hus?» sa jeg.

Nå måtte jeg visst se på ham likevel, så forbauset ble jeg. «Men hvorfor bor du ikke her?»

Henrik snudde så vidt på hodet så ansiktet hans ble liggende i skygge.

«Jeg orker ikke», sa han. «Jeg tenker bare på søsteren min når jeg er her.»

«Søsteren din?» sa jeg.

Stemmen min kom liksom langt bortefra.

«Hedvig», sa han. «Lillesøsteren min. Det er som om hun går rundt i rommene fremdeles.»

Jeg stod der rett opp og ned som om alt var vanlig, som om dette var en vanlig samtale. Men inne i meg blåste det opp til snøstorm.

«Hvor er hun nå, da?» klarte jeg å få frem. «Hvis hun ikke er her?»

«På kirkegården», sa Henrik. «Hedvig er død.»

«D… d… død?»

«Hun døde på lille julaften det året hun var ti», sa Henrik.

Ansiktet hans trakk seg liksom sammen i en grimase, som om han syntes det var vondt å tenke på. «Det er femti år siden.»

«Hva?» sa jeg.

«Det er nøyaktig femti år siden i år.»

«Nei!» sa jeg. «Det kan ikke stemme?!»

«Jo. Jeg hadde en søster som døde da jeg var liten.»

«Nei! Du hadde ikke en søster! Nei, Hedvig er ikke søsteren din! Nei, det stemmer bare ikke!»

Og så løp jeg. Vekk fra Henrik, vekk fra Villa Kvisten. Jeg håpet egentlig bare jeg kunne løpe vekk fra alt.

KAPITTEL 18

Jeg svømte. Krålet frem og tilbake i bassenget.

Frem og tilbake.

Jeg var bare over vann for å trekke pusten, ellers under, hvor jeg kjente vannet strømme mot ansiktet når jeg beveget meg.

Dette var det eneste stedet jeg kunne være, tenkte jeg og sparket ifra. Det eneste.

For hjemme var det fremdeles like trist, og skolen hadde feriestengt, og til John turte jeg ikke å gå, sånn som jeg hadde oppført meg. Vi var visst ikke venner lenger, trodde jeg. En julegave fra eller til ville ikke hjelpe på det.

Det eneste stedet jeg hadde hatt å gå til den siste tiden, var Villa Kvisten, som ikke egentlig fantes. Og den eneste vennen jeg hadde hatt, var Hedvig, som ikke fantes, hun heller. For hun var ... hun var ...

Jeg måtte liksom ta mot til meg for å klare å tenke tanken.

At Hedvig, min eneste venn, var ... et ... spøkelse.

Det skulle jo ikke gå an, noe sånt skulle være helt umulig. Både at Villa Kvisten kunne stå der og være et sånt fantastisk sted, med varme i rommene og julepynt i hver krok, for deretter å bare være en haug med spindelvev og støv. Og at Hedvig hadde kunnet være sammen med meg, som et helt levende menneske, med latter og fregner på nesa, når hun egentlig var begravet for femti år siden. Nei, noe sånt kunne ikke gå an.

Likevel var det skjedd. Alt sammen. Villa Kvisten og Hedvig hadde vært like virkelige som meg. Huset var det varmeste og koseligste stedet jeg noensinne hadde vært. Hedvig det mest levende mennesket jeg noensinne hadde truffet.

Jeg savnet henne så det gjorde vondt. Hva ville hun ha sagt til dette, tenkte jeg, hva ville hun ha tenkt om et spøkelseshus og et sprell levende spøkelse?

Hun ville sikkert ha smilt så bredt at man kunne se mellomrommet mellom fortennene, og rynket litt på nesa med alle fregnene, og så ville hun sagt … jo, nå visste jeg det … Vidunderlig, ville hun sagt, det er vel vidunderlig at noe sånt kunne skje, selv om det ikke egentlig går an, for det finnes mer mellom himmel og jord enn du og jeg kan forklare, og det er jo virkelig noe å glede seg over, er det ikke, at verden er fylt av uforklarlige, fantastiske ting som vi ikke forstår, det er jo det som gjør livet verdt å leve, Julian, syns du ikke, det er jo det som gjør livet spennende!

Noe sånt ville hun sikkert sagt.

Men hun var ikke her, og derfor kunne hun ikke si det. For hun var død og begravet på kirkegården, akkurat som Juni.

Etter som jeg svømte, var det noen spørsmål som gikk gjennom hodet mitt igjen og igjen. Hvorfor hadde jeg truffet Hedvig? Hvorfor hadde hun stått der utenfor svømmehallen med nesa trykket mot vinduet og sett på meg? Skulle hun liksom kunne hjelpe meg med noe? Eller jeg henne?

Nei, det var ingen mening med det. Jeg hadde hatt noen fine dager, ja noen fantastiske dager, og en liten stund hadde jeg trodd at ting faktisk skulle bli bedre. At det skulle bli ordentlig jul i år.

Men Hedvig hadde dukket opp nesten som for å lure meg. For julen kom ikke til å bli bra. Ingenting kom til å bli bra.

Jeg svømte helt til badevakten ba meg om å dra fordi han skulle stenge. Så gikk jeg langsomt hjemover. Det var ikke så kaldt i dag. Noen steder smeltet snøen og ble til grått slaps i gatene. Jeg kjente at vannet trengte inn i vinterskoene. Snø var egentlig bare vann. Æsj.

Jeg spiste knekkebrød til kvelds, alene på kjøkkenet.

På bordet stod adventsstaken. Fremdeles med de fire hvite lysene i. Ingen hadde skiftet til lilla eller tent lysene i dag heller. Det var ikke noen vits med adventsstake. Det var ikke noen vits med jul i det hele tatt.

Fort reiste jeg meg, tok ut de fire lysene av staken og kastet dem i søpla.

I morgen var det lille julaften. Men det kunne like gjerne vært en november-mandag. Her var det i hvert fall ikke spor av verken jul eller bursdag. Jeg hadde prøvd, men det hjalp ikke det fnugg så lenge ingen andre forsøkte.

Jeg orket ikke mer tørre knekkebrød, kastet dem også i søpla og gikk til sengs uten å si natta til mamma og pappa. Så trist og sint og fortvilet hadde jeg ikke vært siden Juni døde. Og dette var på en måte enda verre, for nå fikk jeg ikke trøst engang.

Jeg var for trist og sint og fortvilet til å snakke. For trist og sint og fortvilet til å gråte. Og i hvert fall til å sove. Jeg lå bare helt stille i senga mi og kjente meg nesten lam.

Men så … mens jeg lå sånn og tenkte at ingenting noensinne kom til å bli bra igjen, hørte jeg at døren til rommet mitt gikk opp. Over tregulvet tasset små føtter. Det knirket i en planke. Så stanset de ved senga mi.

Jeg snudde meg. Der stod Augusta, lillesøsteren min.

«Hei», hvisket hun.

«Hei?» hvisket jeg.

«Får ikke du heller sove?» hvisket hun.

«Nei», hvisket jeg.

«Jeg tenker på jul», sa hun.

«Gjør du?» sa jeg.

«At det ikke blir jul», sa hun. «Uten Juni.»

«Å», sa jeg. «Jeg òg.»

«Kan jeg ligge hos deg?» sa Augusta.

«... Ja. Så klart.»

Augusta krøp innunder dyna og tett inntil meg, akkurat slik jeg hadde pleid å krype inntil Juni. Hun la seg med hodet rett under ansiktet mitt, sånn at det myke håret hennes kilte meg i nesa. Jeg snuste litt på henne. Hun luktet som hun pleide: såpe og melk og våte gummistøvler. Den beste lukten i verden.

Jeg hørte hvordan pusten hennes gikk langsommere og langsommere, til den endelig ble helt rolig. Hun sov tungt.

Og med armene rundt lillesøsteren min, og med håret hennes som kilte meg i nesa, sovnet jeg også endelig.

Augusta sov like tungt da jeg våknet neste morgen. Det var rukket å bli lyst ute. Noen få solstråler lurte seg inn gjennom en sprekk i gardinen og skinte på Augusta. Hun lagde noen små grynt, snudde litt på seg, men våknet ikke.

Jeg ble liggende og se på henne. Hun så liksom enda mindre ut når hun sov. Forsiktig strakte jeg frem den ene armen og tok rundt henne. Jeg måtte passe på henne, tenkte jeg, for hun hadde bare meg.

I dag var det lille julaften, og hun hadde bare meg.

Augusta var fem år. Ingenting er viktigere enn julen når man er fem år. At jeg hadde bursdag på julaften, spilte ingen rolle. Men at det var jul, at Augusta skulle få feire jul, det betydde noe.

Jeg lirket meg ut av dyna. Hun våknet så vidt og glippet med øynene.

«Bare sov», sa jeg.

«Hvor skal du?» spurte hun.

«Det er noe jeg må ordne.»

«Hva da?»

«Du må ikke spørre om sånt, for det er jo jul i morgen, og når det er julaften, har man lov til å ha hemmeligheter.»

«Julaften», sa Augusta.

Hun så plutselig helt våken ut.

«Julaften», sa jeg.

Jeg smilte til henne. Så bøyde jeg meg frem og ga henne en god klem, før jeg skyndte meg ut.

«Blir det jul?» spurte Augusta.

Jeg nikket. «Jeg lover.»

Jo, det skulle bli jul. For Augustas skyld.

Og jeg trodde jeg visste hvordan jeg skulle få det til.

KAPITTEL 19

Jeg løp hele veien til Henriks trykkeri og var skikkelig andpusten da jeg kom frem. Døren stod åpen, han jobbet kanskje, selv om det var lille julaften. Og ganske riktig. Han stod der inne, bøyd over en av maskinene sine, med en stor bunke blanke ark i hånden. Han så trist ut, syntes jeg, det var liksom noe tungt over bevegelsene hans. Han hørte ikke at jeg kom, ikke før maskinen stilnet, oppdaget han meg.

Da lyste han opp.

«Julian», sa han og slapp alle arkene. «Du kom. Takk, takk.»

Han tok et skritt mot meg og rakte frem hendene. «Jeg ville snakke med deg, men visste ikke hvor du bodde. Jeg har vært så lei meg. Det var ikke meningen å skremme deg. Men jeg ble både sint og redd da jeg fant deg der inne. Du kunne ha skadet deg. Huset ramler fra hverandre. Gulvene er så råtne at man kan falle gjennom dem … Men først og fremst ble jeg lei meg. For det blir jeg når jeg tenker på søsteren min.»

Jeg gikk et skritt mot ham, jeg også. Og så tok jeg imot hendene som han strakte frem mot meg.

«Kan du fortelle om henne?» spurte jeg.

«Om Hedvig? … Ja, Julian … det er klart jeg kan det.»

Enda en gang satte vi oss ved bordet i hjørnet, enda en gang serverte han saft. Men jeg drakk ikke så fort i dag. Jeg prøvde å være stillest mulig, for jeg ville bare høre på det han hadde å fortelle. Jeg ville få med meg hvert eneste ord.

«Det er femti år siden i dag», sa han. «Akkurat i dag. Vi hadde kjøpt juletre sammen, hun og jeg. Vi hadde dratt det på en kjelke hjem til Villa Kvisten. Vi skulle pynte det alle fire den kvelden. Det var det siste som gjenstod. Ellers var det julefint i hvert eneste rom. Du kan ikke forestille deg hvor flott det var.»

«Jo», sa jeg. «Jeg tror jeg kan det.»

Han kikket litt på meg, og så litt spørrende ut, men så tok han seg i det og fortsatte å fortelle:

«Etterpå hadde vi ungene fri. Mamma og pappa skulle gjøre de siste innkjøpene. På den tiden dro vi ofte på skøyter på fjorden. Barna samlet seg der ute. Og den som gikk lengst ut, var den modigste.»

Han tok en pause. Så ikke lenger mot meg, men liksom innover i seg selv.

«Hun hadde på seg den røde kåpa si», sa han. «Og hun var god på skøyter, virkelig god. Snurret rundt og rundt som en snurrebass.»

«Akkurat det tenkte jeg òg!» sa jeg.

«Hva mener du?»

«Nei. Ingenting», sa jeg.

Han så lenge på meg. Så fortsatte han langsomt:

«Jeg tror aldri hun mente å gå for langt ut. Hun var ikke en sånn som ville tøffe seg. Hun glemte seg nok bare bort, for hun elsket virkelig å gå på skøyter.»

Jeg holdt pusten.

«Jeg var opptatt med noe annet», sa Henrik, og stemmen ble svakere. «Jeg snakket med en gutt fra min egen klasse. Og plutselig oppdaget jeg hvor langt ut hun hadde kommet. Det var tåke over vannet, og jeg klarte nesten ikke å se henne lenger. Jeg husker at jeg ropte – Hedvig! – men hun svarte ikke, kanskje var lyden av skøytene mot isen for høy til at hun kunne høre. Jeg ropte navnet hennes enda en gang, men hun bare fortsatte. Og så ...»

Han stirret ned i glasset med saft, men drakk ikke. En stor tåre rant nedover det ene kinnet hans.

«Og så hørte jeg et skrik.»

«Fra henne?»

«Kort og høyt. Hun gikk i en råk. Hun falt ned i et hull i isen.»

«Og hun kunne ikke svømme», sa jeg.

Han så på meg med et skarpt blikk. «Hvordan visste du det?»

«Jeg visste det ikke», skyndte jeg meg å si. «Jeg gjettet det, bare.»

«Jeg løp mot henne. Langt der fremme så jeg armene hennes som bakset med vannet. Men det kom ikke en lyd. Det gjør ikke det, vet du, fra folk som er i ferd med å drukne. Armene var alt jeg så, og jeg skøytet mot henne det forteste jeg kunne.»

«Og så?» hvisket jeg.

«Snart så jeg ikke armene hennes lenger. Hun var forsvunnet ned, under isen. Vi lette og lette, men da vi fant henne, var det altfor sent.»

Han reiste seg plutselig. Det var som om han ikke klarte å sitte stille lenger. Han gikk fort ut på bakrommet. Der hørte jeg ham åpne en kommodeskuff og ta noe ut. Så kom han tilbake til meg, og nå hadde han det med seg.

«Skøytene hennes», sa han. «Da vi endelig dro henne opp av vannet, hadde hun dem fremdeles på føttene. Jeg har ikke klart å kvitte meg med dem.»

Hedvigs skøyter … Det var dem jeg hadde sett ham sitte med den første gangen jeg var her.

Henrik stod med dem i hendene, kikket på dem som om han ikke visste hva han skulle gjøre med dem. Så la han dem fra seg på bordet mellom oss. Jeg løftet hånden og strøk forsiktig fingrene over det kalde metallet i meiene.

«Jeg har ikke klart å kvitte meg med huset heller», fortsatte Henrik. «Selv om det bare står og forfaller.»

«Men hvorfor flytter du ikke inn?» spurte jeg.

Han kremtet og så vekk.

«Fordi jeg føler at hun er der ennå», sa han. «At hun går rundt i rommene og ikke finner helt ut av det med døden. Som om hun ikke vil dø. Og slik tror jeg det er. For var det noen som elsket livet, så var det søsteren min.»

«Ja», sa jeg.

Og jeg merket at hjertet mitt banket litt fortere. For var det noen som elsket livet, så var det virkelig Hedvig.

«Noen ganger syns jeg til og med at jeg kan se henne, skjønner du», fortsatte Henrik. «Skyggen hennes rundt et hjørne, litt av det røde håret.»

Han snudde seg mot meg igjen.

«Du syns sikkert det høres dumt ut», sa han. «Som om jeg tror på spøkelser.»

«Nei», sa jeg. «Jeg syns ikke det høres dumt ut i det hele tatt.»

Han smilte. Et lys nådde liksom øynene hans, og nå oppdaget jeg hvem han lignet på, for selv om han var mann og femti år eldre, hadde han akkurat de samme øynene som Hedvig.

«Takk, Julian», sa han. «Du er en fin gutt. Jeg håper vennene dine setter pris på deg.»

«Jeg vet ikke …» sa jeg. «Jeg er ikke alltid verdens beste venn. Faktisk … har jeg ikke vært noe særlig grei i det hele tatt.»

Han så på meg. Det var nesten som om han så *gjennom* meg, men på en bra måte, som om han skjønte veldig mye mer enn han sa.

«Hvis du har gjort noe du angrer på, så kan du ordne opp», sa han. «Og hvis de er gode venner, så tilgir de deg.»

Jeg nikket. For sånn var det. Jeg måtte ordne opp, skikkelig. Og plutselig visste jeg hvordan. Og at det måtte skje i dag, samtidig som jeg også måtte sørge for at det ble jul for Augusta.

«Tror du ... tror du jeg kan låne skøytene? Bare i kveld?»

Henrik kikket ned på skøytene og strøk en finger over det hvite læret.

«Du vil låne dem?»

«Det er for å ordne opp med en venn», sa jeg.

Han trakk pusten, som om han skulle til å spørre om noe, men tok seg i det.

Til slutt sa han:

«Det var ikke tilfeldig at du var i Villa Kvisten? Det var ikke bare for moro skyld?»

Jeg ristet på hodet. «Nei, det var ikke det.»

«Og du vet noe om Hedvig?»

Jeg nikket.

Plutselig skjøv han skøytene frem mot meg.

«Du får låne dem. Men jeg vil at du skal fortelle meg alt en dag. Lover du det?»

«Ja», sa jeg.

For det var virkelig ingenting jeg heller ville enn å snakke med noen om Hedvig.

«Men det var ikke på grunn av skøytene at du kom», sa Henrik.

«Nei», sa jeg. «Det var på grunn av trykkeriet.»

Nå kjente jeg at jeg ble ivrig.

«Jeg trenger hjelp til å lage et julekort», sa jeg. «Nei, forresten. Jeg trenger hjelp til å lage mange julekort.»

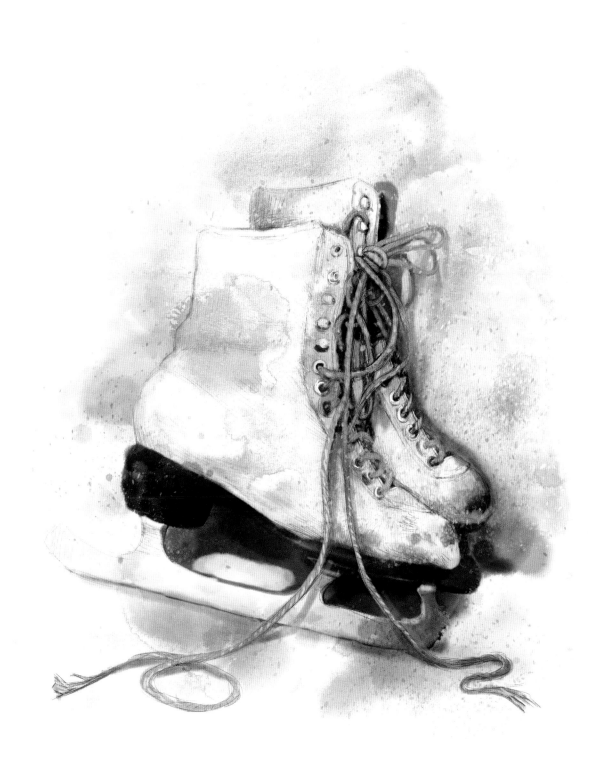

Jeg hørte stemmene til Augusta, mamma og pappa på trammen før de låste seg inn. De hadde vært på jobben og i barnehagen selv om det var lille jul-aften. Men det var egentlig bra, for da var det ingen som hadde sett hva jeg hadde jobbet med hele dagen. Og nå var jeg endelig klar.

Jeg satt i sofaen og ventet. Men at jeg satt, betydde ikke at jeg slappet av. For kroppen min kjentes som en spent bue.

Jeg hørte hvordan nøkkelen ble stukket i låsen. De kom inn og skrudde på lyset i gangen. Jeg kunne høre klikket fra lysbryteren og se en smal strime lys ved dørterskelen. Ennå kunne de ikke se noe, ikke før de åpnet døren til stua.

Jeg hørte dem henge fra seg der ute, de var stille nå, kanskje skjønte de at noe var på gang.

Så kom de inn i stua, skrudde på lyset, og ble bare stående og blunke, mamma, pappa og Augusta.

Dette er hva de så: Overalt hang det julekort. Store kort, små kort, kort med glitter, med gull, blanke og matte, i farger og svart-hvitt. Alle var så vakre som bare Henrik kunne lage dem. Og alle hadde bilde av den samme jenta.

«Det er Juni!» sa Augusta.

Jeg hadde tatt med hele albumet bort til Henrik, og sammen hadde vi plukket ut en hel haug med bilder. Noen av Juni som baby, noen av henne som toåring med bleie, førsteklassebildet hennes, konfirmasjonsbildet, og mange, mange flere. På de aller fleste bildene smilte hun, eller til og med lo, akkurat slik hun så ofte hadde gjort. Det var bilder av Juni sånn som jeg husket henne.

Men det var ikke bare bilder av Juni alene. Det var bilder av søsteren min sammen med oss andre også. Juni i mammas armkrok, Juni som spilte badminton med pappa, Juni som hadde Augusta på skuldrene, Juni og jeg i hennes seng, bustete en tidlig morgen.

Augusta løp bort til noen av kortene, tok dem ned og kikket på dem.

«Så fine! Kjempefine!»

Mamma og pappa sa ikke noe, de bare gikk rundt i stua. Stanset ved hvert eneste bilde, hvert eneste kort, strøk en finger over bildet, over Junis smil.

Augusta plukket ned noen av kortene, samlet dem i en bunke.

«Kan jeg få dette? Og dette? Og dette?»

«Ja», sa jeg. «Vær så god.»

Augusta smilte bredt. «Takk!»

Men mamma og pappa sa fremdeles ingenting.

Jeg reiste meg.

«Vil dere også ha noen?» sa jeg til dem.

De svarte ikke, gikk bare mellom kortene, med liksom blanke fjes.

Jeg kjente hjertet mitt dunke fort og hardt. De hadde visst fremdeles ikke tenkt å si noe, de skulle visst fremdeles ikke forstå. Jeg måtte kanskje prøve enda hardere.

«Jeg har forsøkt å gjøre sånn som dere har sagt», sa jeg. «Å ta tiden til hjelp og sånn. Og ikke snakke så mye om Juni, fordi da vil jeg liksom glemme sorgen … Men det går ikke.»

Nå så de på meg begge to.

«For jeg vil ikke glemme hvor trist jeg var», sa jeg, og stemmen min var høyere nå. «Men jeg vil ikke glemme hvor glad Juni var heller. Jeg vil huske alt sammen. Og Juni kommer til å være her bestandig. Selv om hun er død. Det er nemlig ikke sånn at de døde bare forsvinner. De er her fremdeles…» Nå ropte jeg nesten. «Juni er en del av familien fremdeles.»

Jeg stirret på dem, først på mamma, deretter på pappa. Jeg tror nok blikket mitt var ganske strengt. De så i hvert fall veldig overrasket ut.

«Derfor har jeg bestemt at vi skal slutte å tenke at det går over. I stedet skal vi snakke om Juni og se på bilder av henne og huske på henne hver eneste dag. For hun var glad. Hun var kjempeglad. Og det skal vi også bli igjen.»

Jeg lukket munnen. Jeg var ferdig. Nå var det ikke mer å si. Så mye hadde jeg vel ikke sagt på en gang til dem siden Juni døde. Kanskje ikke før det heller, forresten.

Mamma og pappa bare fortsatte å se på meg. Så kikket de på hverandre. Og så på meg igjen.

«Jeg syns Julian har rett», sa Augusta.

Mamma åpnet munnen for å si noe, pappa gjorde det samme. Men ingenting kom.

Da kjente jeg at jeg ble sint.

«Skal dere bare stå der?» sa jeg.

Pappa tok et skritt mot meg, men det ble visst bare med det ene skrittet.

«Julian», sa han lavt.

Stemmen var fremdeles helt flat. Det var kopipappastemmen.

«Dere får tenke på det», sa jeg. «På hvordan vi skal ha det her i huset. Nå må jeg gå.»

«Hva?» sa mamma. «Hva er det du skal?»

«Jeg må ordne noe helt annet», sa jeg. «Noe som ikke har med dere å gjøre. Noe med en venn. Jeg må ordne opp med en venn. Og det må skje nå. I kveld.»

Jeg gikk ut i gangen, kastet på meg jakken og skoene og grep sekken min.

«Julian?» sa Augusta.

Mamma kom etter meg.

«Vent da, Julian.»

Men jeg hadde ikke tid. Ikke tid til å tenke på hvor dumme jeg syntes de var. Ikke tid til å kjenne etter hvor lei meg jeg var for at julekortene heller ikke hadde fått dem til å forandre seg. Ikke tid til å være sint engang.

Jeg åpnet døren og løp ut i den mørke kvelden mens jeg slengte sekken på ryggen. I den hadde jeg skøytene til Hedvig.

KAPITTEL 21

Jeg var varm og andpusten da jeg kom frem til kirkegården. Den lå helt stille i mørket, men på mange av gravene brant fakler. Jeg fant Juni sin og ble stående der en liten stund. Den så mørk og ensom ut. Jeg skulle ønske jeg hadde tatt med et lys, men det var ikke tid til det nå. Det var ikke derfor jeg var her.

Jeg snudde meg. Rad på rad med graver. Mange flere enn jeg kunne telle. Mellom trærne på kirkegården kunne jeg skimte fjorden. Det var der ute Hedvig hadde forsvunnet, tenkte jeg, og brått frøs jeg på ryggen.

Langsomt begynte jeg å gå. Jeg måtte stoppe ved hver eneste gravstein for å se hvem som lå der. Så mange navn, tenkte jeg, så utrolig mange døde mennesker. De aller fleste hadde levd lange liv, de var blitt både sytti og åtti år. Men noen steder lå mennesker begravet som bare var barn da de døde, kunne jeg se, fordi det bare var noen få år imellom fødselsåret og det året de døde. Jeg ble trist hver gang jeg stanset ved en sånn grav.

Hermine Claussen 1958–1966

Peder Berg 1932–1941

Klara Agate Kjelstrup 1925–1929

På noen steiner stod det små dikt eller noen fine ord i tillegg til navnet. Jeg leste dem også:

Elsket og savnet

Vi møtes i minnene

I hjertet gjemt – aldri glemt

Sov søtt, lille venn

Ingen som har vært elsket, forsvinner

Tiden gikk. Kanskje hadde jeg vært der i minutter, kanskje i timer. Plutselig kjentes det som om jeg ikke kom til å klare det, som om jeg ikke kom til å finne Hedvigs grav. Det var for mange, rett og slett. For mange navn, for mange døde mennesker.

Jeg stanset. Det var blitt kaldere, jeg frøs. Frostrøyken stod fra munnen min, snodde seg ut i mørket. På ryggen hadde jeg fremdeles sekken. Den ene skøyten gnagde mot skulderen. Jeg kommer ikke til å klare det, tenkte jeg, jeg kommer til å gå rundt her og lete for alltid.

Men så hørte jeg noe. Svake skritt bak meg.

Jeg snudde meg fort, skimtet en skygge mellom trærne. Og så en lav stemme som sa:

«Den er her.»

Jeg skyndte meg mot stemmen.

«Hallo?»

Men nå forsvant skyggen. Jeg fortsatte likevel. Og der fikk jeg se den. Der lå graven.

Hedvig Hansen, stod det. *Hvil i fred*.

Jeg svelget. For helt til nå hadde jeg vel håpet, innerst inne, at det bare skulle være tull. At Hedvig faktisk skulle være et ekte og levende menneske, og ikke ligge her på kirkegården, død og begravet.

Men her var hun, altså. Og her var hun ikke. For den Hedvig som jeg kjente, hun var like levende som meg, enda hun var død.

Kanskje lå hun i jorda, kanskje var hun for lengst råtnet opp, men likevel var hun her fremdeles.

Hun var her.

Ja, hun var her, virkelig.

En skygge rev seg løs fra trærne og kom gående mot meg. Langsomt ble hun tydeligere. Den røde kåpa, det krøllete håret, alle fregnene, og de to øynene hennes som lyste så sterkt.

Men ikke av glede, slik de pleide. Hun trengte ikke å si et ord for at jeg skulle forstå hvordan hun hadde det. Hedvigs øyne lyste av fortvilelse.

«Hedvig», sa jeg. «Unnskyld for det dumme jeg sa. Jeg mente ingenting med det. Unnskyld.»

Jeg gikk mot henne, ville bare gi henne en kjempestor klem. Men noe ved henne stanset meg. Hun hadde noe hun skulle si, så det ut som. Og for første gang strevde hun med å få ordene ut.

«Det ... det var ikke din skyld», stammet hun.

«Jo», sa jeg.

«Det er min skyld at jeg fremdeles er her.»

Jeg skjønte ikke helt hva hun mente, og det så hun nok, for nå forsøkte hun å forklare.

«Jeg er bare så inderlig redd for å dø», sa hun. «Livet var så bra, i hvert fall livet mitt. Jeg elsket å leve, jeg.»

«Han sa det», sa jeg.

«Henrik? Broren min?»

«M-m.»

«Jeg tenkte at hvis jeg bare ble her blant menneskene, så ville jeg på en måte leve likevel. Jeg ventet og ventet. Før du dukket opp, var det ingen som kunne se meg, ingen som kunne høre meg. Kanskje unntatt Henrik. Jeg prøvde ofte å komme i kontakt med ham, og noen få ganger tror jeg faktisk han skimtet meg. Og da ble jeg så glad.»

«Han gjorde det», sa jeg.

Hun lyste opp. «Jeg visste det!»

«Men det gjorde *ham* trist», sa jeg.

Smilet hennes sluknet. «Å», sa hun. «Det var virkelig ikke meningen.»

«Han vil at du skal komme deg videre», sa jeg og svelget. «Og det vil jeg òg.»

Jeg visste ikke egentlig om jeg mente det. For jeg kom til å savne Hedvig så mye at det gjorde vondt helt ut i fingertuppene allerede. Men jeg skjønte at jeg måtte si det, for hennes skyld. «Jeg har noe til deg», sa jeg.

Jeg skyndte meg å ta av meg sekken og finne frem skøytene hennes. Hun skvatt da hun så dem.

Jeg rakte dem mot henne, men hun ville ikke ta imot dem.

«Hva trenger jeg dem til?»

«Det er femti år siden i dag», sa jeg. «Akkurat nå i ettermiddag.»

«Jeg vet vel det», sa hun. «Jeg har telt hvert eneste år, hver eneste dag, og til og med hver eneste time.»

«Du trenger ikke å ta dem på deg», sa jeg. «Men jeg syns vi skal gå ned til fjorden.»

«Fjorden.»

Plutselig skalv hun, som om et kraftig vindkast hadde tatt tak i henne.

«Vi går sammen», sa jeg. «Og du trenger ikke å bestemme deg for noen ting ennå.»

⌣

Uten å vente på svar begynte jeg å gå nedover stien. Den ledet til en port i gjerdet som strakte seg rundt kirkegården, og nedenfor lå vannkanten. Jeg kikket meg ikke tilbake, men hørte Hedvigs skritt mot snøen. Svake var de, men hun kom, i hvert fall.

Jeg ble stående på bredden og se ut på isen. Den var dekket av snø, men mange steder var det måkt stier og små skøytebaner. Jeg begynte å gå langs den frosne fjorden, snudde meg så vidt for å sjekke om Hedvig fulgte etter. Og det gjorde hun. Hun stirret på isen, og øynene hennes var svarte av redsel.

Jeg hadde så vondt av henne, men likevel fortsatte jeg, for jeg visste at det var det eneste riktige.

En av stiene som var måkt på isen, gikk så langt ut at jeg ikke så hvor den endte. Der stanset jeg endelig. Jeg kikket på Hedvig, og jeg kunne med det samme se at det måtte være riktig sted, at det var et slikt sted hun også hadde gått ut den gangen for femti år siden.

Så trakk jeg pusten og ga henne skøytene. Nå tok hun imot dem, men uten å se på meg. Ansiktet hennes var helt lukket, som den frosne fjorden, tenkte jeg.

Hun satte seg på en stein ved bredden og begynte å snøre skøytene på seg. Jeg stod bare der og kikket på henne, jeg visste ikke helt hvor jeg skulle gjøre av hendene mine, om jeg skulle ha dem i lommen, eller bare la dem henge ned langs siden. Plutselig kjente jeg en diger klump i halsen. Jeg ville jo ikke at hun skulle forsvinne, jeg ville bare at hun skulle være her hos meg. I femti år til, eller i hundre. Men jeg måtte ikke si noe. Jeg måtte ikke, for hennes skyld.

Hun hadde fått skøytene på seg nå, og reiste seg fra steinen. Hun stod foran meg på isen. Endelig så hun på meg. Tårene rant helt stille fra øynene hennes. Hun dro hendene over kinnene for å få dem vekk, men de fortsatte bare å renne.

«Jeg må jo ikke», sa hun med en stemme som nesten forsvant. «Jeg må jo ikke dra. Jeg kan bli her litt til. I hvert fall til i morgen. Eller til etter jul. Vi kan dra til Villa Kvisten og drikke kakao. En siste gang. Kan vi ikke det, Julian? Vær så snill?»

Jeg ønsket av hele meg at jeg kunne si ja til henne, bare én kopp kakao til. Det var ingenting jeg heller ville.

«Nei», sa jeg. «Det går ikke. Det vet du. For jeg kan ikke se Villa Kvisten lenger, ikke sånn som huset var. Og snart klarer jeg kanskje ikke å se deg lenger heller.»

Jeg kjente hvordan et hikst løsnet fra brystet mitt og presset seg opp. Jeg ville bare hyle, men jeg trakk pusten og forsøkte å være rolig.

«Du må gå nå, Hedvig. Du må det.»

Hun nikket. Tårene bare rant og rant. Jeg kjente dem mot kinnet mitt da hun bøyde seg frem og klemte meg. Igjen blandet de seg med mine, og ingen av oss gjorde noe forsøk på å tørke dem.

Hun klemte meg sånn lenge, og hun var helt varm og levende.

«Ha det, Julian», sa hun.

«Ha det, Hedvig», sa jeg. «Jeg kommer til å savne deg fryktelig.»

I det samme begynte det å snø. Lette, fine snøkrystaller dalte fra himmelen.

Hedvig lot noen falle ned i votten. Så tok hun hånden min og holdt den opp, slik at snøen kunne dale ned i votten min også.

«Hver gang det snør, kan du tenke på meg», sa hun. «Og huske at jeg er i hvert eneste snøfnugg.»

«Det er du som er snøsøsteren min», sa jeg.

Hedvig nikket. «Ja, det vil jeg være.»

«Ha det, snøsøster», sa jeg. «Vi sees igjen.»

«Vi sees igjen.»

Hedvig snufset, tørket kinnene en siste gang og snudde seg mot fjorden.

Det første skøytetaket var usikkert, men sendte henne likevel en meter vekk fra meg, det neste tryggere og tok henne enda lenger vekk, det tredje bestemt, og allerede var hun langt unna.

Hun snudde seg aldri, jeg så bare ryggen hennes, den røde kåpa som beveget seg bestemt fremover. Og jeg hørte lyden av henne, det var som om skøytene sang mot isen. Nå forsvinner hun i mørket, tenkte jeg. Nå blir hun borte. Nå faller hun i råken. Nå ...

Men så, helt plutselig, skjedde det noe. De mørke skyene på himmelen delte seg, og i en revne mellom dem kunne jeg se himmelen. En stjerne skinte sterkt og klart ned på isen.

Hedvig satte kursen mot lysstrimen, hun gikk fort nå, suste av gårde, for stjernen skinte stadig sterkere. Den var som en sol. En varmgul sol.

Snart nådde Hedvig frem til stjernelyset på isen. Hun stanset nesten helt opp og gled sakte inn i det. Så snudde hun seg mot meg. Jeg kunne se at hun var glad, ordentlig, tvers igjennom glad.

Mens hun stod slik, dukket det opp en skikkelse til der ute. Jeg så ikke hvor hun kom fra, men plutselig skled hun inn i stjernelyset. En jente. Hun var større enn Hedvig. Hun stanset og så på meg. Og så smilte hun. Det var et sånt smil som sa at ingenting noensinne ville gå ille, at alt var godt og trygt.

Det var Juni, søsteren min.

Jeg løftet hånden og vinket til Juni, og hun løftet hånden og vinket til meg. Så snudde Juni seg mot Hedvig og tok begge hendene hennes i sine. Først stod de bare og så litt på hverandre, som om de ble kjent.

Så nikket Hedvig.

Sakte begynte de to jentene å snurre rundt. Sammen tok de en piruett.

Først gikk det langsomt, rundt og rundt.

Så steg farten. De snurret og snurret, ingen snublet, ingen svaiet.

Rundt og rundt.

Fortere og fortere.

Snart så det ut som om det bare var ett menneske der ute. De så ut som én stor snurrebass.

De virvlet opp snø mens de snurret. Stadig mer snø. Fnuggene gnistret og glitret rundt dem. De ble til en sky av snø som innhyllet dem helt til jeg ikke lenger kunne se noe annet, bare krystallene som virvlet i lufta.

Og så dalte snøen ned på isen, og skyen løste seg opp. Men Juni og Hedvig var forsvunnet. Snøfnuggene var alt som var igjen.

Samtidig tetnet mørket til på himmelen igjen og dekket stjernen. Brått forsvant alt lyset.

Igjen stod jeg. Alene i kulden, i vinteren, i natten og mørket. Jeg var så glad over å ha sett Juni.

… Men jeg gråt også fordi jeg savnet henne. Juni, storesøsteren min. Hver eneste lille bit av henne, smilet hennes, og tårene, og hvordan hun holdt rundt meg om natten når jeg var redd.

Nå var jeg her helt alene, og nå hadde jeg ikke engang Hedvig lenger.

Jeg var helt, helt alene.

Jeg stod bare sånn og hikstet da jeg med ett hørte stemmer bak meg, fra kirkegården.

Tre stemmer, én veldig spinkel stemme, én ganske lys og én ganske mørk. Tre stemmer som jeg kjente veldig godt.

«Julian!» ropte de.

«Julian, er du her?» ropte den mørkeste stemmen.

Jeg klarte ikke å svare.

«Julian?» sa den ganske lyse stemmen. «Julian, hallo? Ungen vår?»

Så ropte den aller spinkleste stemmen: «Broren min?» ropte den. «Storebroren min, hvor er du?»

Endelig klarte jeg å rope tilbake.

«Ja, jeg er her! Mamma og pappa, jeg er her! Augusta, jeg er her!»

Og så løp jeg oppover stien mot kirkegården. Føttene mine fløy gjennom snøen.

Samtidig så jeg dem komme springende gjennom kirkegården og mot meg.

Vi løp til vi endelig nådde hverandre, til jeg endelig kjente armene deres rundt meg. Både mammas og pappas og Augustas.

Jeg klemte dem alle tre, og de klemte meg, sånn som de pleide før. Bare enda hardere og enda varmere. Og jeg gråt visst enda mer, men det var gode tårer nå.

For jeg var jo ikke alene. Jeg hadde dem. Mamma og pappa og Augusta.

KAPITTEL 23

Jeg åpnet øynene og husket først ikke hvilken dag det var. Jeg strakte meg i senga, la armene bak hodet, gjorde meg så lang jeg var, og kjente at kroppen våknet. Det prikket i hele meg, fra ytterst på stortåa til helt ut i fingertuppene.

Jeg hoppet ut av senga. I mange måneder hadde det liksom vært noe som dro meg ned mot bakken. Det hadde kjentes som … som om jeg gikk med en veldig, veldig tung sekk. Men nå var sekken borte, og det føltes plutselig som jeg kunne fly.

Jeg stod sånn midt på gulvet og bare pustet. Jo, jeg var ganske sikker på at hvis noen ga meg et par vinger akkurat nå, ville jeg lettet med det samme.

Og så, først nå, husket jeg hvilken dag det var.

Det var jo julaften. Julaften og bursdagen min.

Plutselig gikk det en skjelving gjennom meg.

For tenk om … tenk om det ennå ikke var jul i huset vårt, tenk om mamma og pappa fremdeles bare var de rare kopiene av seg selv, at de hadde glemt alt vi snakket om i går. Tenk om alt fremdeles bare var grått.

Jeg åpnet døren så stille jeg klarte, og gikk ut i gangen. Der ble jeg stående litt, med ørene på stilk.

Stille, helt stille.

Jeg listet meg videre bortover gulvplankene, bort til trappen ned til første etasje. Akkurat der jeg hadde stanset hvert eneste år, stoppet jeg nå også for å sjekke om jeg kunne høre noe.

Og var det ikke … Var det ikke … musikk?

Deilig er jorden,
prektig er Guds himmel,
skjønn er sjelenes pilgrimsgang.

Jeg grøsset deilig på ryggen. De sang så fint!

Jeg tok noen skritt til, og nå hørte jeg plingplongingen fra englespillet også. Og knitringen fra peisen.

Julelydene var på plass.

Jeg skyndte meg ned trappen og snuste ut i lufta. Jo, juleluktene var også på plass – av granbar fra juletreet, og kongerøkelse fra røkelsesstativet, og pepperkaker og klementiner og kanel og kakao. Det var der alt sammen!

Nå hadde jeg ikke tid til å vente et sekund lenger. I to sprang var jeg borte ved døren inn til stua.

Og så … og så åpnet jeg den.

Jeg bråstanset på dørterskelen. Jeg stod der bare, helt stiv, og det eneste jeg klarte, var å blunke noen ganger.

For alt var så fint og varmt og vakkert og gyllent at jeg nesten ikke fikk puste.

Juletreet strålte midt i rommet. Det var digert og tett og mørkegrønt, og pyntet til randen av lys og nisser og stjerner og hjerter og flagg. Akkurat sånn som et juletre skal være, bare enda vakrere. Det var faktisk det fineste juletreet jeg noensinne hadde sett. Særlig på grunn av én ting: Juni hang på treet. Julekortene

Henrik og jeg hadde lagd, hang fra greinene, og søsteren min smilte mot meg mellom alle lysene.

Resten av rommet smilte også. Overalt var det pyntet til jul. På kommoden ved peisen, akkurat der den pleide, stod julekrybben. Rundt vinduene var det festet granbar med røde sløyfer, på peishylla stod alle dorullnissene som Juni og Augusta og jeg hadde lagd oppigjennom årene, og det var ikke få.

Midt på bordet stod adventsstaken. Den var gullende blank og fylt med fire nye, lilla lys.

Et lite gledeshikst slapp ut av meg.

For det var jul.

Det var virkelig jul!

Men jeg har jo ennå ikke fortalt om det aller beste. Om mamma og pappa og Augusta. De kom mot meg alle tre, fremdeles i morgenkåper og pysjer. Men de så ikke det minste trøtte ut. De så ut som seg selv. Nå klemte de meg etter tur.

«Gratulerer med dagen», sa mamma.

«God jul, kjære julegutten vår», sa pappa.

«Hurra!» sa Augusta.

Så satte vi oss ved det dekkede frokostbordet, som var proppfullt av oster og klementiner og sosisser og nøtter og laks og spekemat og eggerøre og alt annet som er godt. Og så spiste vi. Jeg kan love deg at det er den aller beste frokosten jeg har smakt i hele mitt liv.

Da vi hadde spist til vi ikke klarte å få ned en eneste bit til, og drukket kakao til det kjentes som om hele meg var sjokolade, satte jeg koppen fra meg og så på familien min, fra den ene til den andre. På mamma, på pappa, på lillesøsteren min. Alle tre så ut som de kunne fly av bare glede.

«Dere», sa jeg.

De snudde seg mot meg.

«Jeg har ett ønske», sa jeg. «Et juleønske.»

«Vi har kjøpt gaver allerede», sa mamma.

«Det er ikke en gave», sa jeg. «Eller jo, det er en gave. Men den kan ikke kjøpes for penger.»

De så spørrende på meg.

«Jeg vil at vi skal gå på kirkegården sammen», sa jeg. «Alle tre, i ettermiddag … Jeg vil at vi skal besøke graven til Juni.»

KAPITTEL 24

Etter frokosten kledde jeg på meg og gikk ut. Mamma og pappa og Augusta skulle gjøre de aller siste juleærendene, men jeg hadde en annen plan. Jeg skulle til John, den beste kameraten min. Jeg hadde ikke sagt ifra på forhånd at jeg kom. Det turte jeg ikke, for jeg var redd for at han var skikkelig sint på meg, og bare ville si nei til besøk.

Jeg så John lenge før han så meg. Han lekte i hagen, rullet store snøballer til en borg og hadde ryggen vendt mot veien. Jeg fikk så vondt av den ryggen. For det var en fryktelig trist rygg, syntes jeg. Og en rygg som var helt alene.

Jeg skyndte meg frem til gjerdet.

«Hei», sa jeg.

John hørte det visst ikke, for han fortsatte bare å rulle snøballen. Større og større ble den.

«Hei», sa jeg igjen.

Endelig snudde han seg og oppdaget meg.

«Hei», sa han.

Han snufset litt, var visst forkjøla, og tørket seg under nesa med ullvotten, som var full av snø.

Jeg rakte frem gaven mot ham. Han så på den uten å ta den imot.

«Hva er det?» spurte han.

«En gave», sa jeg.

«Hvorfor det?»

«En julegave.»

«Men hva er det?»

«Det kan jeg jo ikke si, for da blir det kjedelig i kveld.»

«Å», sa John.

Så strakte han endelig ut hånden og tok den imot.

«Takk, da», sa han.

«Vær så god», sa jeg.

Han stakk gaven i lommen. Så snudde han seg mot snøballen sin igjen. Han la seg på den med hele vekten sin, men han var jo ikke så tung, så han klarte visst ikke å rikke den.

Da tok jeg mot til meg og hoppet over gjerdet. Så stilte jeg meg ved siden av ham. Uten å se på ham, begynte jeg å dytte sammen med ham. Han sa ingenting, men lot meg gjøre det. Sammen dyttet vi ballen enda noen meter gjennom den dype snøen, og for hver meter vokste den. Det var så fint å bare gå der i hagen sammen med John og dytte på den snøballen.

Til slutt klarte vi ikke å bevege den en millimeter lenger.

«Større blir den visst ikke», sa jeg.

«Nei», sa han. «Hva skal vi bruke den til, forresten?»

«Nei, du, det vet jeg ikke, hva syns du? Vi kan bygge en snømann. Da trenger vi to snøballer til.»

To snøballer til, tenkte jeg. Da kunne jeg være her sammen med John litt lenger.

«Ja …» sa John. «Kanskje det.»

«Eller», sa jeg «vi kan bygge en borg. Men da trenger vi mange snøballer.»

Minst åtte, tenkte jeg. Og da kunne jeg være her skikkelig lenge. Kanskje i en hel time.

«Hm», sa John. «Jo … det går vel kanskje an.»

«Nei», sa jeg. «Nå vet jeg det! Vi kan bygge to borger. Og så … og så når vi er ferdige, kan vi ha snøballkrig!»

John så på meg. Fremdeles var han like alvorlig. Men så sprakk liksom alvoret hans. Øynene glitret, og munnen åpnet seg i et stort smil.

«Snøballkrig», sa han. «Vi må lage ammunisjon også. Og kanoner. Og så må vi ha hvert vårt navn og tilhøre hvert vårt kongerike og …»

Han fortsatte å legge planer. Ordene bare rant ut av ham, og de rant visst ut av meg også. Det gjorde meg så glad at jeg måtte le, og da lo John også. Latteren trillet ut av oss som hvite perler.

Vi skravlet igjen, og vi lo igjen. John, min beste kamerat, og jeg.

Jeg ble der skikkelig lenge. Først da det mørknet, gikk jeg. Men jeg avtalte å møte John allerede dagen etter. For borgene var ferdige, og vi var klare for krig.

Jeg småløp hele veien til kirkegården. Det første jeg så, var lysene, enda flere i dag enn i går. På nesten alle gravene brant det lys. Og ved mange av dem stod det mennesker, store og små, gamle og unge. Alle var der for å passe litt ekstra på de døde nå på selveste julaften. Jeg fortet meg nedover radene, helt til jeg kom til Hedvig sin. Også der brant det i en lykt, og graven var pyntet med en stor kvast med granbar med ildende røde bær. Det var ordentlig julete, akkurat sånn som Hedvig ville elsket. Henrik kjente søsteren sin godt, selv om han ikke hadde truffet henne på femti år. Jeg strøk en hånd over gravsteinen og hvisket:

«Kjære, kjære snøsøster.»

Jeg stod litt sånn og bare holdt hånden på steinen. Jeg skulle passe på graven hennes, tenkte jeg, sammen med Henrik. For jeg håpet vi kunne fortsette å være venner, han og jeg …

Og slik ble det også, det kan jeg love deg. For Henrik flyttet inn igjen i Villa Kvisten, og hamret og malte og pusset og sagde helt til det var seg selv igjen. Og det ble så fint! Akkurat sånn som det hadde vært den gangen for femti år siden, bare enda koseligere … Men det er en annen historie, og kanskje forteller jeg deg den også en gang, hvis du har lyst til å høre.

Jeg fortsatte videre nedover kirkegården. Det ble stadig mørkere, og alle menneskene som besøkte kirkegården, ble til svarte skygger. Men tre av skyggene skilte seg ut fra de andre. Jeg kjente dem igjen med det samme. Mamma, pappa og Augusta.

De stod allerede ved Junis grav. Jeg fortet meg bort til dem. Ingen sa noe, men pappa trakk meg inntil seg, og jeg kunne kjenne varmen fra den store kroppen gjennom vinterfrakken hans.

Mamma børstet vekk snø fra gravsteinen. Der stod navnet hennes, navnet til søsteren min: Juni.

Vi bøyde oss ned alle fire, og sammen børstet vi vekk resten av snøen, både fra steinen og fra det lille bedet foran den.

Så tok pappa frem fem små lykter. Han satte dem i en sirkel foran graven.

«Fem lys», sa han. «For oss fem.»

I midten satte mamma noen hvite blomster i en potte.

«Juleroser», sa hun. «De tåler frosten.»

«Roser til Juni», hvisket Augusta. «Det liker hun.»

Så reiste vi oss og stilte oss tett rundt graven. Augusta og jeg stod i midten, mamma og pappa på hver sin side av oss. De strakte ut én hånd hver mot grav-steinen, og én hånd mot oss. Så holdt vi i hverandre alle fem.

«God jul, Juni», sa jeg.

«God jul, Juni», sa vi alle i kor.